मेरा भारत

प्रथम पुष्प

हमारा देश

लेखन

स्वर्ण खँडपूर

अनुवाद

डॉ. शिवशंकर पाण्डेय

रेखांकन

प्रदीप साठे

navNeet

नवनीत पब्लिकेशन्स (इं) लि.

F 551

©१९९८ नवनीत पब्लिकेशन्स (इं) लि.

प्रकाशक : नवनीत पब्लिकेशन्स (इं) लिमिटेड

● भवानीशंकर रोड, दादर, मुंबई - ४०० ०२८ भारत
दूरध्वनि : (०२२) ४३० ७२ ८६ फैक्स : (०२२) ४३७ २५ ६८

● नवयुग डिस्ट्रिब्युटर्स : मार्ग क्र. ८, एम, आइ. डी. सी., मरोल,
अंधेरी (पूर्व), मुंबई-४०० ०९३
दूरध्वनि : (०२२) ८२१ ४१८६ फैक्स : (०२२) ८३५ २७५८

● सीता पार्क, १८, शिवाजीनगर, भारत इंग्लिश स्कूल के पास,
पुणे - ४११ ००५, दूरध्वनि : (०२१२) ३२६ ३६४

● आगे अपार्टमेंट्स, आग्यारामदेवी-एस. टी. स्टैंड रोड,
नागपुर - ४४० ०१८, दूरध्वनि : (०७१२) ७२४ ४११/७२१ ४६१

● नवनीत हाउस, गुरुकुल रोड, मेमनगर, अहमदाबाद-३८० ०५२,
दूरध्वनि : (०७९) ७४५ ३९९५ फैक्स : (०७९) ४५४ ७००

● ३०, श्रीरामनगर, नार्थस्ट्रीट, अलवारपेठ, चेन्नई-६०० ०१८,
दूरध्वनि : (०४४) ४५३६१४

मुखपृष्ठ : डी. वाय. आचरेकर

मुद्रक : प्रिंटमन, मुंबई-४०० ०१३

INDIA ISBN 81-243-0363-0

मूल्य : रु. ५०.००

विषय-सूची

प्रस्तावना

बालजगत को आधुनिक भारत का परिचय देनेवाली आकर्षक पुस्तकों की आवश्यकता बहुत समय से महसूस की जाती रही है। ये ऐसी पुस्तकें हों, जो पाठ्यपुस्तक अथवा विश्वकोश न होकर आज के बालकों से मित्रता करनेवाली तथा उन्हें विशेषरूप से सचित्र जानकारी देनेवाली हों।

आज की उभरती पीढ़ी को आधुनिक भारत का समग्र दर्शन कराने के उद्देश्य से 'मेरा भारत' शृंखला के अंतर्गत हम पुस्तकों का क्रमशः प्रकाशन कर रहे हैं। इस मालिका की एक-एक पुस्तक प्रकाशित कर, अंत में समग्र रूप से एक खंड में भारत के बारे में संपूर्ण जानकारी देने का हमारा विचार है।

'मेरा भारत' शृंखला के प्रथम पुष्प 'हमारा देश' को प्रकाशित करते हुए हमें अपार आनंद हो रहा है। इसमें भारत देश, उसकी प्राकृतिक रचना, राजनीतिक संरचना, जनजीवन, भाषा, लिपियाँ, राष्ट्रीय प्रतीक तथा अन्य संबंधित जानकारियाँ दी गई हैं। विविध प्रकार की ये ज्ञानवर्धक जानकारियाँ प्रश्नोत्तर के रूप में दी गई हैं। साथ ही, प्रत्येक पृष्ठ पर बहुरंगी, आकर्षक एवं सटीक चित्र भी दिए गए हैं। सीधी-सादी भाषाशैली में लिखी गई ये पुस्तकें सचमुच ज्ञान की निधियाँ प्रमाणित होंगी।

प्रस्तुत पुस्तक मालिका में स्वातंत्र्योत्तर कालीन भारत तथा उसकी राष्ट्रीय अस्मिता की गहरी पहचान कराई जाएगी। अतः ये पुस्तकें विद्यालयों तथा ग्रंथालयों के लिए अतिशय उपयोगी सिद्ध होंगी। इसी प्रकार भारतीय नागरिक होने का गर्व रखनेवाले प्रत्येक देशवासी के लिए अपने घर में इन पुस्तकों का रखना अवश्य ही गौरवपूर्ण होगा।

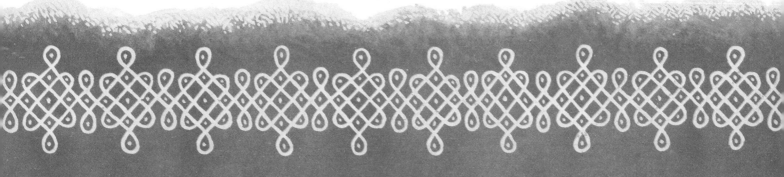

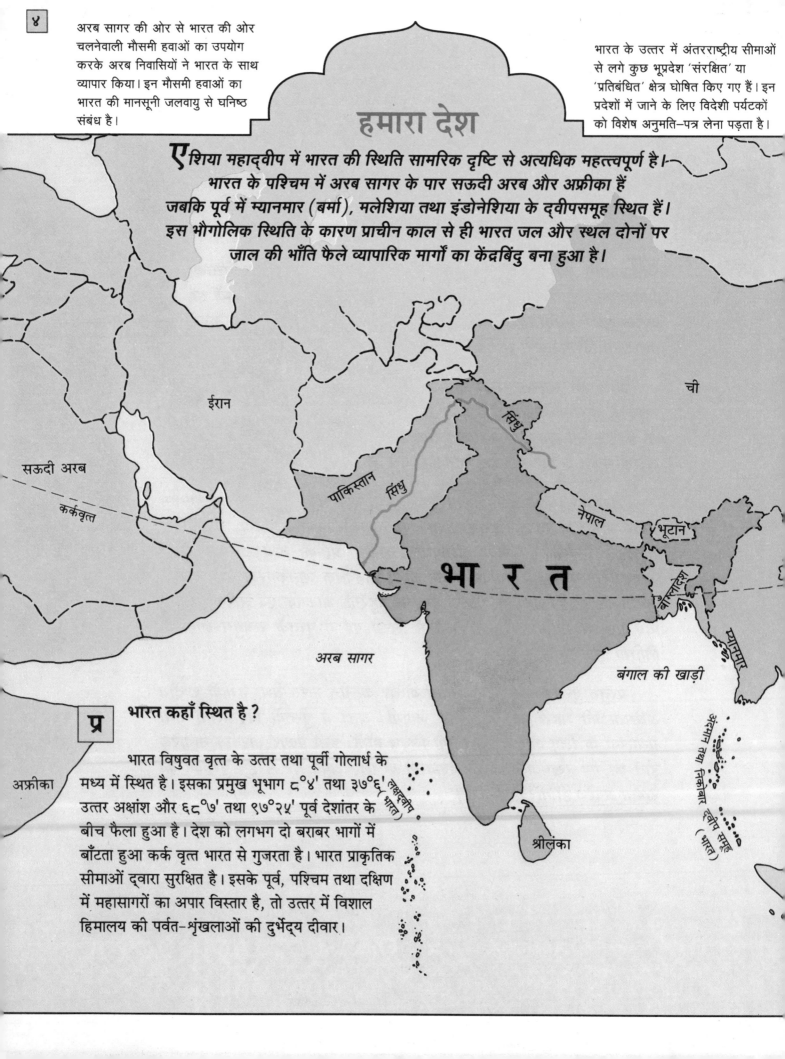

अरब सागर की ओर से भारत की ओर चलनेवाली मौसमी हवाओं का उपयोग करके अरब निवासियों ने भारत के साथ व्यापार किया। इन मौसमी हवाओं का भारत की मानसूनी जलवायु से घनिष्ठ संबंध है।

भारत के उत्तर में अंतरराष्ट्रीय सीमाओं से लगे कुछ भूप्रदेश 'संरक्षित' या 'प्रतिबंधित' क्षेत्र घोषित किए गए हैं। इन प्रदेशों में जाने के लिए विदेशी पर्यटकों को विशेष अनुमति-पत्र लेना पड़ता है।

हमारा देश

एशिया महाद्वीप में भारत की स्थिति सामरिक दृष्टि से अत्यधिक महत्त्वपूर्ण है। भारत के पश्चिम में अरब सागर के पार सऊदी अरब और अफ्रीका हैं जबकि पूर्व में म्यानमार (बर्मा), मलेशिया तथा इंडोनेशिया के द्वीपसमूह स्थित हैं। इस भौगोलिक स्थिति के कारण प्राचीन काल से ही भारत जल और स्थल दोनों पर जाल की भाँति फैले व्यापारिक मार्गों का केंद्रबिंदु बना हुआ है।

ईरान

सऊदी अरब

कर्कवृत्त

चीन

सिंधु

पाकिस्तान

सिंधु

नेपाल

भूटान

भा र त

बांग्लादेश

म्यानमार

अरब सागर

बंगाल की खाड़ी

प्र भारत कहाँ स्थित है ?

भारत विषुवत वृत्त के उत्तर तथा पूर्वी गोलार्ध के मध्य में स्थित है। इसका प्रमुख भूभाग ८°४' तथा ३७°६' उत्तर अक्षांश और ६८°७' तथा ९७°२५' पूर्व देशांतर के बीच फैला हुआ है। देश को लगभग दो बराबर भागों में बाँटता हुआ कर्क वृत्त भारत से गुजरता है। भारत प्राकृतिक सीमाओं द्वारा सुरक्षित है। इसके पूर्व, पश्चिम तथा दक्षिण में महासागरों का अपार विस्तार है, तो उत्तर में विशाल हिमालय की पर्वत-श्रृंखलाओं की दुर्भेद्य दीवार।

अफ्रीका

लक्षद्वीप (भारत)

श्रीलंका

अंदमान तथा निकोबार द्वीप समूह (भारत)

महाराज दुष्यंत और शकुंतला का निर्भीक पुत्र भरत बाल्यावस्था में सिंहशावक के साथ खेलते समय उसके दाँत गिना करता था। प्राचीन भारत के इस महापराक्रमी राजा के नाम पर इस देश का नाम भारत पड़ा।

भारत और पाकिस्तान की सीमा भारत के चार राज्यों – जम्मू-कश्मीर, पंजाब, गुजरात तथा राजस्थान – की सीमाओं से लगी हुई है।

प्र भारत का नाम 'हिंदुस्तान' कैसे पड़ा ?

इंडस नदी के नाम पर भारत का नाम इंडिया पड़ा है। प्राचीन काल के आर्य इस नदी को सिंधु अर्थात सागर या अगाध जलराशि कहते थे। प्राचीन काल में भारत की पश्चिमी सीमा इस विशाल नदी तक फैली हुई थी। सिंधु नदी के निकटवर्ती प्रदेशों पर पर्शियन (ईरानी) लोगों का कब्जा था। पर्शियन लोग 'स' का उच्चारण 'ह' किया करते थे। इस तरह से सिंधु नदी के पारवाले इस प्रदेश को 'सिंधु' के बजाय 'हिंदु' अथवा 'हिंद' कहा जाने लगा।

मुगलों के आगमन के पश्चात् इस प्रदेश का नाम 'हिंदू' से 'हिन्दुस्तान' पड़ गया और हिन्दुस्तान में रहनेवाले लोगों को 'हिंदू' कहा जाने लगा। फिर भी यूरोप के लोग भारत को 'इंडस नदी का देश' यानी 'इंडिया' ही कहते रहे।

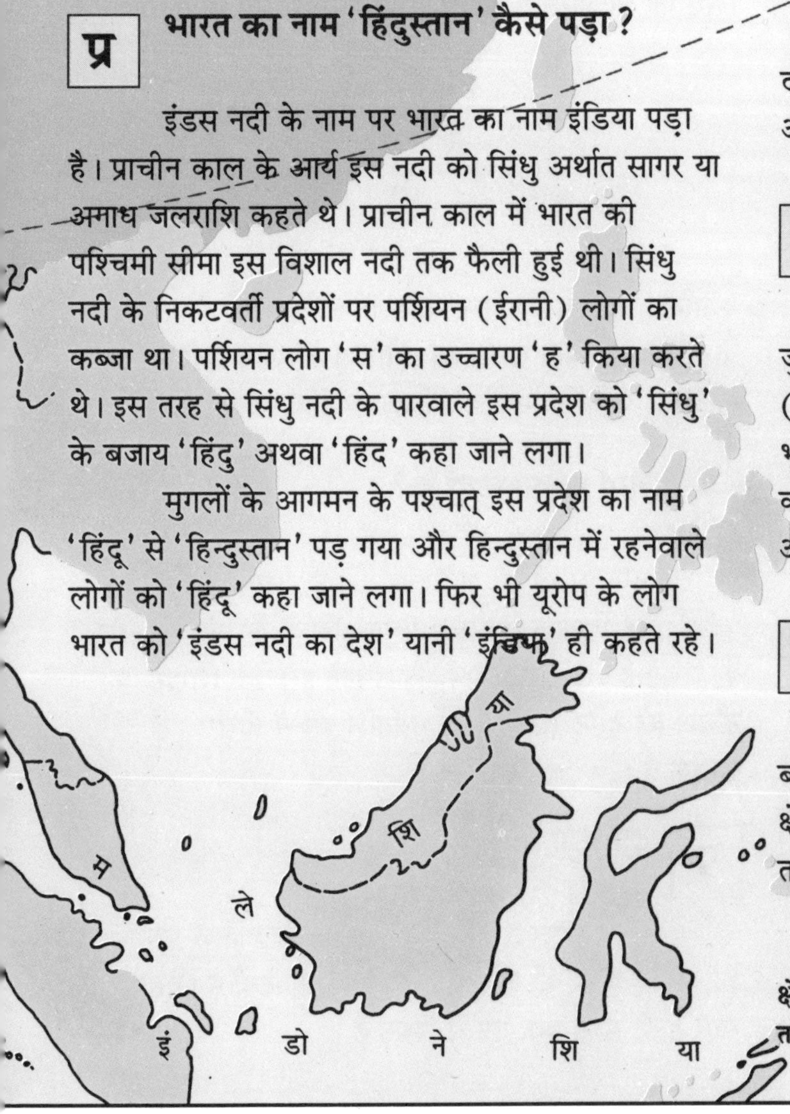

प्र भारत कितना विस्तृत है ?

प्राय: भारत को मात्र एक देश न कहकर एक उपमहाद्वीप कहा जाता है; क्योंकि भारत रूस को छोड़कर शेष बचे यूरोप महाद्वीप के आधे भाग जितना बड़ा है।

भारत का विस्तार उत्तर से दक्षिण ३००० किलो मीटर से अधिक है। इसका विस्तार पूर्व से पश्चिम लगभग ३००० किलो मीटर है। इसका स्थलीय क्षेत्रफल लगभग ३२,००,००० वर्ग किलो मीटर है। यह क्षेत्रफल पृथ्वी की सतह के क्षेत्रफल का लगभग २.४ प्रतिशत है।

क्षेत्रफल की दृष्टि से संसार में भारत का सातवाँ स्थान है। चीन के बाद यह एशिया महाद्वीप का दूसरा सबसे बड़ा देश है।

बंगाल की खाड़ी में स्थित अंदमान-निकोबार द्वीपसमूह और अरब सागर में स्थित लक्षद्वीप भारत के अविभाज्य अंग हैं।

प्र भारत के पड़ोसी कौन हैं ?

भारत की राजनीतिक सीमा पश्चिम में पाकिस्तान से जुड़ी हुई है। इसकी पूर्वी सीमापर बाँग्लादेश तथा म्यानमार (बर्मा) देश हैं। भारत की उत्तरी सीमा चीन, नेपाल और भूटान को छूती है। भारत के दक्षिण में श्रीलंका है। पर मन्नार की खाड़ी एवं पाक जलडमरूमध्य भारत को श्रीलंका से अलग करते हैं।

प्र बंगाल की खाड़ी का अनोखापन क्या है ?

यद्यपि कनाडा की हडसन खाड़ी संसार की सबसे बड़ी खाड़ी मानी जाती है, किंतु बंगाल की खाड़ी का क्षेत्रफल उससे अधिक है। फिर भी, बंगाल की खाड़ी की तटरेखा हडसन खाड़ी की तटरेखा से छोटी है।

	बंगाल की खाड़ी	**हडसन खाड़ी**
क्षेत्रफल	२१,७२,००० वर्ग किमी	८,२२,३०० वर्ग किमी
तटरेखा	३,६२१ किमी	१२,२६८ किमी

प्राकृतिक रचना

*भार*त की स्थलीय सीमा १५,२०० किमी तथा द्वीपों और मुख्य भूमि को मिलाकर समुद्री तट की लंबाई ६,००० किमी है। भारत के उत्तर में हिमालय की ऊँची-ऊँची पर्वत-शृंखलाएँ हैं, जिनके दक्षिण में 'विशाल मैदान' अर्थात सिंधु-गंगा का मैदान है, जो उत्तर भारत की बड़ी नदियों से बना है। पश्चिम में थार का रेगिस्तान है। भारतीय प्रायद्वीप का दकन का पठार दक्षिण में है, जिसके दोनों ओर उपजाऊ तटीय पट्टियाँ हैं। इस प्रकार यह देश अपनेआप में प्राकृतिक विविधताओं की सुंदर दृश्यावली समेटे हुए है।

हिमालय

प्र हिमालय कितना विशाल है ?

हिमालय का अर्थ है, हिम (बर्फ) का आलय (घर)। यह संसार की सबसे ऊँची पर्वत-शृंखला है। यह भारत की उत्तरी सीमा पर अभेद्य दीवार की भाँति स्थित है। पूर्व में म्यानमार की सीमा से कश्मीर की पश्चिमी सीमा तक लगभग २,५०० किमी की लंबाई में यह शृंखला फैली हुई है। भौगोलिक दृष्टि से हिमालय की इन पर्वतचोटियों की संसार के सबसे नवीन (तरुण) भूरूपों में गणना की जाती है।

हिमालय की तीन समानांतर पर्वत-श्रेणियाँ हैं– विशाल हिमालय (हिमाद्रि), लघुतर हिमालय (हिमाचल) और तराई की पहाड़ियाँ (शिवालिक)। हिमाद्रि के अंतर्गत संसार के १४ में से ९ सर्वोच्च पर्वतशिखर आते हैं। इनमें नेपाल का माउंट एवरेस्ट सबसे ऊँचा पर्वतशिखर है।

प्र भारत में सबसे ऊँचा पर्वतशिखर कौन-सा है ?

भारत में सबसे ऊँचा पर्वतशिखर के२ है। यह संसार का दूसरा सर्वोच्च शिखर है, जो माउंट गाड्विन-ऑस्टिन के नाम से भी विख्यात है। कश्मीर के उत्तर में काराकोरम पर्वत-श्रेणी में स्थित होने के कारण अब भी यह अपने मूल सर्वेक्षण क्रमांक K (Karakoram)2 से दुनिया में जाना जाता है। यह ८,६११ मीटर ऊँचा तथा माउंट एवरेस्ट से मात्र २३७ मीटर छोटा है।

प्र अखिल भारतीय पर्वतारोहण अभियान ने माउंट एवरेस्ट पर पहले-पहल कब विजय प्राप्त की ?

माउंट एवरेस्ट पर सन १९६० और सन १९६२ में किए गए दो भारतीय अभियान प्रतिकूल मौसम के कारण

असफल रहे। श्री एम.एस. कोहली के नेतृत्व में सन १९६५ के तीसरे अभियान में नौ पर्वतारोहियों ने माउंट एवरेस्ट की चोटी पर पहुँचकर एक कीर्तिमान स्थापित किया।

प्र नंगा परबत कहाँ है ?

नंगा परबत का शाब्दिक अर्थ है, 'नग्न (Naked) पर्वत'। यह विशाल हिमालय पर्वत-श्रेणियों के पश्चिमी छोर पर स्थित है। ८,१२६ मीटर ऊँचाईवाले इस पर्वतशिखर का ऊँचाई की दृष्टि से भारत के पर्वतशिखरों में तीसरा क्रमांक है।

प्र दून क्या हैं ?

दून हिमालय की हिमाचल और शिवालिक पर्वत-श्रेणियों के बीच की चौड़ी तथा समतल घाटियाँ हैं। देहरादून शहर इन्हीं में से एक दून में स्थित है।

☐ लगभग १०० वर्ष पूर्व एक साहसिक खेल के रूप में पर्वतारोहण की शुरुआत हुई। माउंट एवरेस्ट पर विजय प्राप्त करने के अनेक प्रयास किए गए। सर्वप्रथम २९ मई, १९५३ को एडमंड हिलेरी तथा तेनसिंग नोरगे माउंट एवरेस्ट पर पहुँचे।

☐ धरती के इस सर्वोच्च शिखर पर कदम रखनेवाली प्रथम भारतीय महिला बचेंद्री पाल थीं। वे वहाँ २३ मई, १९८४ को अपराह्न में १.०७ बजे पहुँचीं।

☐ भारत में हिमालय के ८,५९८ मीटर ऊँचे दूसरे सर्वोच्च पर्वत-शिखर कंचनजंगा को पश्चिम बंगाल के दार्जिलिंग से देखा जा सकता है। कर्नल नरेन्द्र कुमार के नेतृत्व में भारतीय थल सेना ने १९७७ के अभियान में कंचनजंगा पर्वतशिखर पर विजय प्राप्त की। माउंट एवरेस्ट की चढ़ाई की अपेक्षा कंचनजंगा की चढ़ाई कई गुना अधिक कठिन और चुनौतीपूर्ण है।

☐ हिमालय की हिमाच्छादित काराकोरम पर्वत-शृंखला से घिरा हुआ लद्दाख भारत का एकमात्र शीतल रेगिस्तान है। ४,८७८ मीटर की ऊँचाई पर स्थित लद्दाख भारत का सबसे ऊँचा पठार है।

☐ यद्यपि माउंट एवरेस्ट विश्व का सबसे ऊँचा पर्वतशिखर माना जाता है; फिर भी हवाई द्वीप का 'मौना केआ' पर्वतशिखर उससे भी ऊँचा है। इसका कारण यह है कि 'मौना केआ' का आधार समुद्र तल में स्थित है और आधार से शिखर तक की ऊँचाई नापने पर वह माउंट एवरेस्ट से १३५५ मीटर अधिक ऊँचा ठहरता है।

☐ मध्य हिमालय श्रेणी में स्थित कैलास पर्वत भगवान शिव का निवास स्थान माना जाता है। चित्रों तथा मूर्तियों में भगवान शिव व्याघ्रचर्म (बाघंबर) पर बैठे, हिमाच्छादित चोटियों से घिरे, गहरी समाधि में लीन दर्शाए जाते हैं।

एशिया में १०० से अधिक ऐसी चोटियाँ हैं, जो ७,००० मीटर से भी अधिक ऊँची हैं। इनमें से सबसे अधिक पर्वत चोटियाँ हिमालय में स्थित हैं।

प्रत्येक महाद्वीप के सर्वोच्च पर्वतशिखर निम्नलिखित हैं :

• एशिया	एवरेस्ट	८,८४८ मीटर
• दक्षिण अमेरिका	एकोन्काग्वा	६,९६० मीटर
• उत्तर अमेरिका	मकिन्ली	६,१९४ मीटर
• अफ्रीका	किलिमंजारो	५,८९५ मीटर
• यूरोप	एल्ब्रूस	५,६३३ मीटर
• एंटार्क्टिका	विंसन मैसिफ	५,१४० मीटर
• ऑस्ट्रेलिया	माउंट विल्हेल्म	४,५०९ मीटर

प्र पूर्वांचल क्या है ?

हिमालय की पूर्वी श्रेणियों का उल्लेख 'पूर्वांचल' के नाम से होता है, क्योंकि वे पूर्व में स्थित हैं। पश्चिम की ओर स्थित पर्वत-श्रेणियों की तुलना में इन पर्वत-श्रेणियों की ऊँचाई तथा विस्तार कम है। पूर्वांचल अत्यंत घने जंगलों से व्याप्त है। पातकाईबुम तथा उसके साथ नागा पर्वत, गारो पर्वत तथा लुशाई पर्वत बाँग्लादेश और म्यानमार की सीमाओं से लगी भारतीय सीमापर प्रहरियों की भाँति स्थित हैं।

प्र पहाड़ी दर्रे क्या हैं ?

विश्व की सर्वोच्च पर्वत-शृंखला हिमालय सामान्यतया अलंघ्य है, फिर भी, उत्तर-पश्चिम की पर्वत-श्रेणियों की गहरी, सँकरी घाटियों में से कुछ प्राकृतिक मार्ग बन गए हैं। ये गहरे, सँकरे मार्ग 'दर्रे' कहलाते हैं। प्राचीन काल से इनका व्यापारिक मार्गों के रूप में इस्तेमाल होता रहा है। इन्हीं दर्रों में से होकर विदेशी आक्रमणकारी भी भारत पहुँचे। इनमें 'खैबर दर्रा' सबसे अधिक प्रसिद्ध है।

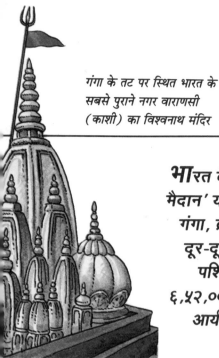

गंगा के तट पर स्थित भारत के सबसे पुराने नगर वाराणसी (काशी) का विश्वनाथ मंदिर

मैदानी क्षेत्र

गंगा नदी में खड़े होकर अर्घ देता हुआ एक साधु।

भारत के विशाल मैदान हिमालय की तलहटी में स्थित हैं। ये 'उत्तर भारत के मैदान' या 'सिंधु-गंगा के मैदान' के नाम से भी प्रसिद्ध हैं। ये मैदानी क्षेत्र सिंधु, गंगा, ब्रह्मपुत्र आदि बड़ी नदियों तथा उनकी अनेक सहायक नदियों द्वारा दूर-दूर से बहाकर लाई गई उपजाऊ जलोढक से निर्मित हुए हैं। ये मैदान पश्चिम में पंजाब से लेकर पूर्व में आसाम तक फैले हुए हैं और इन्होंने ६,५२,००० वर्ग किमी क्षेत्र व्याप्त कर रखा है। अतीत काल के प्रमुख साम्राज्यों, आर्य सभ्यता के प्राचीनतम केंद्रों और भारत के सबसे पुराने नगरों में से अधिकतर की स्थापना इन्हीं मैदानी क्षेत्रों में हुई थी।

प्र **विशाल मैदानी क्षेत्रों की रचना कैसे हुई ?**

आज जिसे विशाल मैदानी क्षेत्र कहा जाता है, लाखों वर्ष पहले वहाँ जल ही जल फैला था। वह एक बड़े समुद्र की तलहटी बन गया था, जिसे भूगर्भशास्त्री टेथिस सागर (Tethys Sea) कहते हैं। इस समुद्र का दक्षिणी तट प्राचीन दकन का पठार था। इस समुद्र के उत्तर में मध्य एशिया का भूखंड स्थित था। भूगर्भीय परिवर्तनों के कारण दक्षिणी भूखंड को उत्तरी भूखंड की ओर खिसकना पड़ा और इस प्रकार उस समुद्र में से हिमालय के रूप में एक विशाल पर्वत-शृंखला उभर आई। उभार की इस प्रक्रिया के साथ-साथ कुछ गहरे गड्ढे भी बन गए। हिमालय से निकलनेवाली नदियों से लाए गए बारीक कंकड़, रेत और गाद (सिल्ट) अर्थात जलोढक मिट्टी से ये गड्ढे धीरे-धीरे भरते गए। उपजाऊ भू-पटल का यह समतल विस्तार बाद में विशाल मैदानी क्षेत्र के रूप में उभरा।

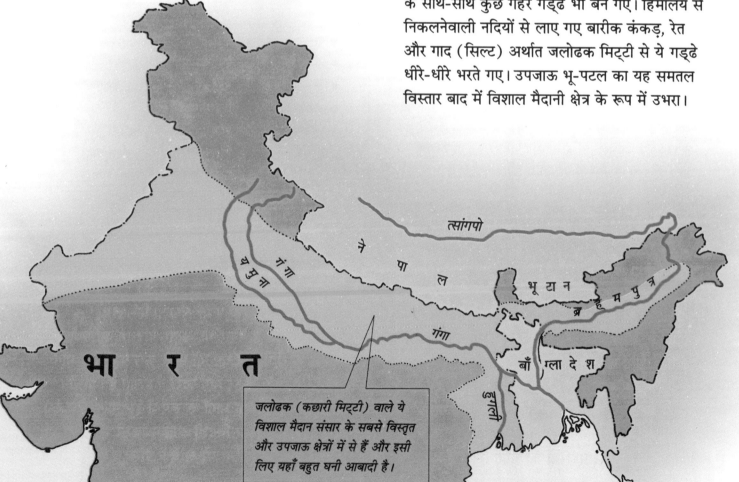

जलोढक (कछारी मिट्टी) वाले ये विशाल मैदान संसार के सबसे विस्तृत और उपजाऊ क्षेत्रों में से हैं और इसी लिए यहाँ बहुत घनी आबादी है।

गंगोत्री हिमनदी की तलहटी में स्थित गोमुख (गाय का मुख) नाम से प्रसिद्ध बर्फ की गुफा में गंगा का उद्गम स्थल है।

पावन गंगा माता

प्र गंगा 'भागीरथी' क्यों कहलाती हैं ?

ऐसी किंवदंती है कि पुराण-प्रसिद्ध राजा भगीरथ की प्रार्थना पर उनके पूर्वजों की अभिशप्त आत्माओं की मुक्ति के लिए गंगा स्वर्ग से पृथ्वी पर उतरीं। इसलिए हिमालय में स्थित अपने उद्गम स्थान से उत्तर प्रदेश में से होकर बहनेवाले गंगा के प्रवाह को 'भागीरथी' कहते हैं। लगभग १७५ किमी बहने के बाद देवप्रयाग में अलकनंदा तथा मंदाकिनी नदियाँ भागीरथी से मिलती हैं। तब इन तीनों नदियों के सम्मिलित जलप्रवाह का नाम 'गंगा' पड़ता है।

प्र गंगा का मैदान कितना विस्तृत है ?

गंगा भारत की सबसे लंबी नदी है। गंगा के उद्गम स्थल से लेकर बंगाल की खाड़ी (पूर्वी समुद्र) तक की २५१० किमी की इसकी यात्रा के बीच अनेक सहायक नदियाँ इससे मिलती हैं। दाएँ से यमुना और सोन तथा बाएँ से गोमती, घाघरा, गंडक तथा कोसी आकर इससे मिलती हैं। अतः इसकी द्रोणी विशाल मैदान के सबसे बड़े भाग का निर्माण करती है और देश के पूरे क्षेत्रफल का लगभग एक-चौथाई भाग व्याप्त कर लेती है।

प्र कौन-सी दो नदियाँ संसार के सबसे बड़े त्रिभुज प्रदेश (डेल्टा) का निर्माण करती हैं ?

गंगा बंगाल के पास अपने आपको दो धाराओं (प्रवाहों) में बाँट लेती है - एक धारा हुगली के नाम से पश्चिम बंगाल में बहती है और दूसरी पद्मा के नाम से बाँग्लादेश में। बंगाल की खाड़ी से लगभग ४८० किमी उत्तर विशाल ब्रह्मपुत्र नदी पद्मा से मिलती है। हुगली और पद्मा, ये दोनों नदियाँ मिलकर भारत तथा बाँग्लादेश के क्षेत्र में संसार का सबसे बड़ा त्रिभुज प्रदेश (डेल्टा) बनाती हैं।

इंडस-सिंधु

प्र सिंधु की कौन-सी सहायक नदी धरातल के नीचे प्रवाहित होती हुई मानी जाती है ?

वैदिक ऋचाओं में एक नदी तथा देवी के रूप में विख्यात सरस्वती, सिंधु की महत्त्वपूर्ण सहायक नदी थी। किसी समय की चौड़ी और बड़ी नदी सरस्वती आज थार के रेगिस्तान की रेत में खो गई है। रोचक मान्यता यह है कि धरती के नीचे बहती हुई सरस्वती, गंगा तथा यमुना से, उनके संगमस्थल प्रयाग (इलाहाबाद) में मिलती है। जहाँ ये तीनों नदियाँ मिलती हैं, वह स्थल 'त्रिवेणी संगम' के नाम से विख्यात है। इस स्थान को अत्यंत पवित्र एवं पूजनीय तीर्थक्षेत्र माना जाता है।

> पंजाब में सरस्वती नदी के आसपास के क्षेत्रों से आए सारस्वत ब्राह्मणों के गोत्र का नाम इसी नदी के नाम पर पड़ा है।

अपने वाहन मगर पर आरूढ़ गंगा।

अपने वाहन कच्छप (कछुए) पर आरूढ़ यमुना।

कहा जाता है, मैसीडोनिया लौटने से पहले सिकंदर महान ने बिआस नदी के तट पर १२ स्तंभों का निर्माण कराकर उन्हें यूनानी (ग्रीक) देवताओं को समर्पित कर दिया था।

सिंधी लोगों के पारंपरिक देवता उदरो लाल सिंधु नदी से संबंधित हैं।

प्र सिंधु नदी (इंडस) की पाँच प्रसिद्ध सहायक नदियाँ कौन-सी हैं ?

तिब्बत से अरब सागर तक की यात्रा में इंडस या सिंधु नदी से रावी, बिआस, सतलुज, झेलम और चेनाब नामक पाँच बड़ी नदियाँ मिलती हैं। १९४७ में भारत के विभाजन से पहले इन नदियों का यह क्षेत्र (भूभाग) पंजाब (पाँच जलोंवाला) कहा जाता था। विभाजन के बाद यद्यपि सतलुज और बिआस नदियाँ ही भारत के पंजाबी क्षेत्र से होकर बहती हैं, फिर भी इस भारतीय प्रदेश को 'पंजाब' ही कहा जाता है।

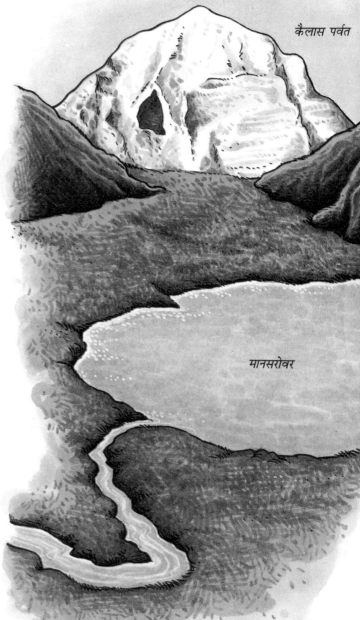

प्र सिंधु नदी का उद्गम स्थल कहाँ है ?

सिंधु नदी मानसरोवर से लगभग १०० किमी उत्तर कैलास पर्वत-श्रेणी से निकलती है। जम्मू और कश्मीर में प्रवेश करने से पहले यह तिब्बत में उत्तर-पश्चिम दिशा में बहती है। रास्ते में अनेक नदियों से मिलती हुई यह एक जगह ५,२०० मीटर गहरा महाखड्ड बनाती है। इसके बाद सिंधु नदी पाकिस्तान में प्रवेश करती है और कराची के निकट अरब सागर में मिल जाती है।

भारत में पुल्लिंग संज्ञा की एकमात्र नदी ब्रह्मपुत्र को तिब्बत में 'त्सांग-पो' कहते हैं। बाँग्लादेश में यह जमुना कही जाती है और बंगाल की खाड़ी में गिरने के पहले गंगा तथा मेघना के साथ मिलने के बाद यह पद्मा के नाम से जानी जाती है।

असम में दुआर (पहाड़ की तराई का दलदली क्षेत्र) एक सींगवाले गैंडों का निवासस्थल है।

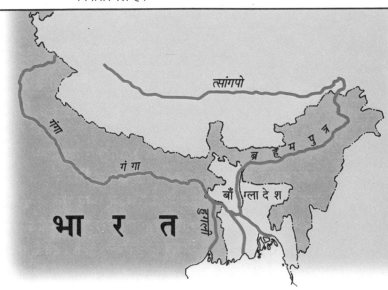

ब्रह्मपुत्र–भगवान ब्रह्मा का पुत्र

 माजुली द्वीप कहाँ स्थित है ?

माजुली द्वीप असम में ब्रह्मपुत्र नदी में स्थित है। किसी समय यह संसार का सबसे बड़ा मीठे जल का द्वीप था। नदी द्वारा भीषण कटाव और उसकी बाढ़ के कारण दो दशकों से भी कम समय में यह द्वीप कटकर अपने मूल आकार का एक-तिहाई मात्र रह गया है।

प्र **ब्रह्मपुत्र किस नदी से मिलकर दुनिया का सबसे बड़ा डेल्टा (त्रिभुज प्रदेश) बनाती है ?**

मानसरोवर के निकट स्थित अपने उद्गमस्थल से चलकर बंगाल की खाड़ी में गिरनेवाली ब्रह्मपुत्र नदी संसार की सबसे बड़ी नदियों में से एक है। यह गंगा से भी ४०० किमी लंबी है। उत्तर-पूर्व भारत और बाँग्लादेश से होती हुई २७०४ किमी बहने के बाद गंगा से मिलकर यह दुनिया का सबसे बड़ा डेल्टा (त्रिभुज प्रदेश) बनाती है।

प्र **ब्रह्मपुत्र भारत की 'लाल नदी' क्यों कहलाती है ?**

असम में ब्रह्मपुत्र की ४० से भी अधिक सहायक नदियाँ हैं। वर्षा ऋतु में यह विकराल नदी अपने दोनों किनारों के ऊपर से उमड़ पड़ती है, जिसके कारण विनाशकारी बाढ़ आ जाती है। असम की लाल मिट्टी के कारण इसका जल लाल आभा धारण कर लेता है। इसलिए यह भारत की 'लाल नदी' कहलाती है।

ब्रह्मपुत्र नदी, बाढ़ के समय

दकन के पठार की भृगु चट्टान खोखली कर बनाई गई अजंता की गुफाओं में से एक गुफा का अग्रभाग।

दकन के पठार के उत्तर-पश्चिमी छोर पर स्थित अरावली पर्वतमाला की गणना विश्व के सबसे पुराने पहाड़ों में की जाती है।

दकन का पठार

प्र भारत में सबसे पुराना पठार कौन-सा है ?

दकन का पठार दक्षिण भारतीय प्रायद्वीप का सबसे पुराना पठार है। किसी समय यह भारत और अफ्रीका को जोड़नेवाले बृहदाकार भूखंड का एक भाग था। बार-बार पड़नेवाले भूगर्भीय दबावों के कारण यह भाग मूल भूखंड से टूटकर अलग हो गया और आज तक उस पुराने भूखंड के अवशिष्ट खंड के रूप में इसका अस्तित्व बना हुआ है। इसकी ऊँचाई समुद्र तल से ३०० से ९०० मीटर तक है।

प्र इस पठार का नाम 'दकन' कैसे पड़ा ?

'दकन' या 'दक्खिन' नाम संस्कृत के 'दक्षिण' शब्द से व्युत्पन्न हुआ है। इसका अर्थ है 'दक्षिण दिशा'। यह पठार विंध्य पर्वतमाला (१०५० किमी लंबी) के दक्षिण में स्थित है, जो इसे सिंधु-गंगा के उपजाऊ मैदान से विलग करती है। यह पठार त्रिभुजाकार है और पूर्व तथा पश्चिम में पूर्वी तथा पश्चिमी घाट के नाम से प्रसिद्ध पर्वत-शृंखलाओं द्वारा घिरा हुआ है। ये दोनों घाट मिलकर इस त्रिभुज के दक्षिणी छोर का निर्माण करते हैं।

प्र भारत का पश्चिमी समुद्री तट पूर्वी समुद्री तट से किस प्रकार भिन्न है ?

पश्चिमी घाट और अरब सागर के बीच की तटीय पट्टी सँकरी है, जबकि पूर्वी घाट और बंगाल की खाड़ी के बीच की तटवर्ती पट्टी चौड़ी है। पश्चिमी तट की नदियाँ छोटी और तेजी से बहनेवाली हैं। ये नदियाँ (त्रिभुज प्रदेश) डेल्टा नहीं बनातीं। पूर्वी तट पर अनेक नदियाँ त्रिभुज प्रदेश बनाती हैं। पूर्वी तट की अपेक्षा पश्चिमी तट पर बहुत से प्राकृतिक बंदरगाह तथा पोताश्रय हैं।

प्र 'डेक्कन ट्रैप' क्या है ?

यह दकन के पठार के उत्तर-पश्चिमी भाग में सीढ़ीनुमा चट्टानों की रचना है। ये ज्वालामुखी निर्मित चट्टानें 'बैसाल्ट' से बनी हुई हैं और सैकड़ों मीटर मोटी हैं। इनका निर्माण आज से लगभग सात करोड़ वर्ष पहले हुआ था। 'ट्रैप' शब्द स्वीडिश भाषा में सीढ़ियों के लिए प्रयुक्त होता है।

भा र त

अरावली पर्वत श्रेणी

विंध्य पर्वत श्रेणी

न र्म दा

तापी

गोदावरी

दकन का

कृष्णा

पठार

अरब सागर

बंगाल की खाड़ी

कावेरी

अनैमलै पहाड़ियाँ

'सप्तसिंधु' शब्द भारत की सात पवित्र नदियों–गंगा, यमुना, सिंधु (इंडस), गोदावरी (दक्षिण गंगा), नर्मदा, कृष्णा तथा कावेरी के समूह का सूचक है। यह शब्द हमारी प्रार्थनाओं और भारतीय साहित्य में पाया जाता है।

'लूनी' (खारी नदी) मरुस्थली की एकमात्र नदी है।

पूर्वी तथा पश्चिमी घाट भारत के दक्षिण में स्थित नीलगिरि की श्रेणियों में एक-दूसरे से मिल गए हैं।

प्र **दकन के पठार की कुछ नदियाँ अरब सागर में तथा कुछ बंगाल की खाड़ी में क्यों गिरती हैं ?**

दकन के पठार के उत्तरी भाग की ढाल पश्चिम की ओर है जब कि दक्षिणी भाग की ढाल पूर्व की तरफ है। परिणामस्वरूप नर्मदा एवं तापी नदियाँ पश्चिम की ओर बहती हुई अरब सागर में गिरती हैं। दूसरी ओर गोदावरी, कृष्णा तथा कावेरी नदियाँ पूर्व की ओर बहती हुई बंगाल की खाड़ी में गिरती हैं। उत्तर की सदावाही नदियों के विपरीत प्रायद्वीपीय (दक्षिण के पठार की) नदियाँ वर्षा ऋतु को छोड़कर प्राय: सूखी ही रहती हैं।

थार–भारतीय महामरुस्थल

प्र **थार का मरुस्थल (रेगिस्तान) कितना बड़ा है ?**

संसार के ग्यारह प्रसिद्ध मरुस्थलों (रेगिस्तानों) में क्षेत्रफल की दृष्टि से थार के रेगिस्तान का सातवाँ स्थान है। अफ्रीका में सहारा का मरुस्थल संसार का सबसे बड़ा मरुस्थल है। थार का रेगिस्तान पश्चिमी भारत और पाकिस्तान के बीच फैला हुआ है। इसमें रेत का अखंड विस्तार नहीं है बल्कि बीच-बीच में छोटी-छोटी पहाड़ियाँ, नमकीन दलदल तथा झीलें हैं।

प्र **मरुस्थली कहाँ है ?**

मरुस्थली का तात्पर्य शुष्क रेतीला प्रदेश है। यह थार के उस भाग का पुराना नाम है, जो भारत में पड़ता है। यह भारत के चार राज्यों–पंजाब, हरियाणा, गुजरात तथा राजस्थान के कुछ क्षेत्रों को व्याप्त किए हुए है। अरावली पर्वतश्रेणी इसकी पूर्वी सीमा बनाती है। दक्षिण में यह कच्छ के विशाल रण तक फैला हुआ है। इस रेगिस्तान के अतिक्रमण को रोकने के लिए किए जा रहे अनेक प्रयत्नों के बावजूद यह फैलता ही चला जा रहा है।

प्र **साँभर झील मुख्यतया किस बात के लिए प्रसिद्ध है ?**

साँभर झील भारत की सबसे खारी झील है। यह जयपुर से लगभग ६० किलोमीटर पश्चिम में स्थित है।

राजस्थान में भूगर्भवर्ती जल खारा होता है। अत: गर्मी के मौसम में जब पानी सूख जाता है, तब झील के ऊपर लवणजल की पर्पटी जम जाती है। साँभर झील नमक बनाने के लिए सर्वाधिक मात्रा में लवणजल प्रदान करती है।

थार का मरुस्थल

लक्षद्वीप समूह का कुल क्षेत्रफल मात्र ३२ वर्ग किमी है। अत: क्षेत्रफल तथा जनसंख्या की दृष्टि से यह भारत का सबसे छोटा केंद्र-शासित प्रदेश है।

लक्षद्वीप का मुख्यालय कवरत्ति द्वीप है। पित्ति नामक एक निर्जन द्वीप को पक्षी-अभयारण्य घोषित किया गया है।

भारतीय द्वीप

प्रमुख भूभाग के अतिरिक्त भारतीय द्वीपों के दो समूह हैं। ये समूह बंगाल की खाड़ी तथा अरब सागर में स्थित हैं। पर्याप्त विविधता एवं समृद्धि से संपन्न ये द्वीपसमूह भारतीय गणराज्य के अंग हैं।

प्र भारत के प्रवाल द्वीप कहाँ स्थित हैं ?

केरल के पश्चिम में लगभग ३०० किमी दूर अरब सागर में ३६ प्रवाल द्वीपों का समूह बिखरा हुआ है। पहले ये द्वीप लाकादीव, मिनिकॉय तथा अमिनदीवी नाम से जाने जाते थे। सन् १९७३ में इनका नाम बदलकर लक्षद्वीप (लाख द्वीप) कर दिया गया। इनमें से केवल १० द्वीपों पर मनुष्यों की बस्ती है।

प्र अंदमान कितने द्वीपों का समूह है ?

बंगाल की खाड़ी में अंदमान सबसे बड़ा द्वीपसमूह है। इसमें ३२४ द्वीप हैं, जिनमें से केवल २४ द्वीपों पर मानव बस्तियाँ पाई जाती हैं। दशांश जलमार्ग नामक गहरा समुद्र अंदमान को २२ छोटे-छोटे द्वीपों के समूह निकोबार से पृथक करता है।

निकोबार द्वीपसमूह में स्थित 'पिग्मैलियन प्वाइंट' (पुनर्नामित-इंदिरा प्वाइंट) भारत का सबसे दक्षिणी सिरा है।

विभिन्न आकारों तथा रंगों के प्रवाल (मूँगे)

दो दशक तक सुषुप्तावस्था में रहने के बाद अंदमान द्वीपसमूह में बैरन द्वीप पर स्थित भारत का एकमात्र सक्रिय ज्वालामुखी १० अप्रैल, १९९१ को फूट पड़ा था।

इन द्वीपसमूहों की प्रमुख प्राकृतिक संपदा जंगल है। देश की सबसे बड़ी आरा मिल यहीं स्थित है।

प्र   लक्षद्वीप की बालू विशुद्ध रूप से सफेद क्यों है ?

प्रवाल द्वीपों का निर्माण पोलिप्स नामक नन्हें समुद्री जीवों द्वारा किया जाता है। अपने कोमल शरीर की सुरक्षा के लिए ये जीव अपने शरीर के चारों ओर कैल्शियम कार्बोनेट का अस्थि कंकाल निर्मित कर लेते हैं। जब ये प्राणी मर जाते हैं तब उनके अस्थि कंकाल सफेद चूनाश्म की बड़ी ढेरियों के रूप में बदल जाते हैं। इसलिए लक्षद्वीप में पाई जानेवाली बालू विशुद्ध रूप से सफेद है।

प्र   खाड़ी के द्वीप कहाँ हैं ?

अंदमान तथा निकोबार द्वीपसमूह को समाविष्ट किए हुए खाड़ी के द्वीप बंगाल की खाड़ी के नीले जलपर माला के मनकों की भाँति बिखरे हुए हैं। ये हरी-भरी घास तथा सघन जंगलोंवाले चित्रवत रमणीय द्वीपसमूह का निर्माण करते हैं, जिन पर कलकत्ता तथा चेन्नई (मद्रास) से समुद्री अथवा हवाई मार्ग द्वारा पहुँचा जा सकता है।

प्र   खाड़ी के द्वीपों को 'कालापानी' क्यों कहा जाता है ?

समुद्र की अथाह गहराई के कारण इन द्वीपों के चारों ओर का पानी काला दिखाई देता है। इसके अतिरिक्त ब्रिटिश शासकों ने आंदोलनकारियों तथा अपराधियों को सजा देने के लिए इन द्वीपों का उपयोग किया। उन्होंने वहाँ एक बड़ा कारागार बनवाया, जिसकी कोठरियोंवाले गलियारे किसी तारा मछली के अंगों की भाँति फैले हुए थे। असंख्य स्वातंत्र्य वीरों को यहाँ बंदी बनाकर रखा गया। यहाँ उन्हें अकथनीय यातनाओं से गुजरना पड़ा। इस कारागार की सजा का नाम 'कालापानी की सजा' पड़ गया।

अंदमान की राजधानी पोर्ट ब्लेयर में छोटी कोठरियोंवाला (सेल्युलर) कारागृह।

जनसंख्या

संपूर्ण विश्व में जनसंख्या की दृष्टि से चीन के बाद भारत का दूसरा स्थान है। १९९१ में भारत की जनसंख्या ८४ करोड़ ६० लाख से अधिक थी। १९९४ में यह विश्व की ५ अरब ६६ करोड़ जनसंख्या का लगभग १५ प्रतिशत थी। संक्षेप में कहा जाए तो संसार में प्रत्येक छह व्यक्तियों में से एक भारतीय है।

प्र भारत की जनसंख्या कितनी तेजी से बढ़ रही है ?

१९५१ में अधिकृत रूप से जनसंख्या नियंत्रण कार्यक्रम प्रारंभ किया गया। फिर भी, भारत की जनसंख्या अंधाधुंध बढ़ती ही जा रही है। प्रतिवर्ष भारत की जनसंख्या में आस्ट्रेलिया की कुल जनसंख्या के बराबर वृद्धि हो जाती है। जनगणना के अद्यतन आँकड़ों के अनुसार सन् २०४० तक भारत संसार का सर्वाधिक जनसंख्यावाला देश हो जाएगा।

✓ **प्र** भारत का सबसे अधिक जनसंख्यावाला प्रदेश कौन-सा है ?

१९९१ की जनगणना के अनुसार उत्तर प्रदेश भारत का सबसे अधिक जनसंख्यावाला प्रदेश है। इसके बाद बिहार तथा महाराष्ट्र के राज्य आते हैं।

- भारत में प्रति मिनट ५० बच्चों का जन्म होता है।
- भारतीय शहरों में मुंबई की जनसंख्या सबसे अधिक (एक करोड़ पचीस लाख सत्तर हजार) है; जब कि एक करोड़ आठ लाख साठ हजार की आबादीवाला कलकत्ता दूसरे स्थान पर है।

मंदिर

हड़प्पा संस्कृति की खोज में मिली लगभग ४५०० वर्ष पुरानी एक मुहर से प्रतीत होता है कि भारत में शिव-पूजा बहुत प्राचीन काल से प्रचलित है।

मस्जिद

भारत में धार्मिक अल्पसंख्यकों का सबसे बड़ा संप्रदाय मुसलमानों का है। इंडोनेशिया और बाँग्लादेश के बाद भारत विश्व में सबसे अधिक मुस्लिम जनसंख्यावाला तीसरा देश है। मुसलमान 'सुन्नी' और 'शिया' दो संप्रदायों में बँटे हुए हैं। मुसलमानों के 'खोजा' और 'बोहरा' उपसंप्रदाय गुजरात तथा महाराष्ट्र में पाए जाते हैं।

गिरजाघर (चर्च)

ईसाई धर्म यूरोप में आविर्भूत होने के पहले भारत में आया। किंतु पुर्तगालियों, डचों, फ्रांसीसियों तथा अँग्रेजों के शासनकाल में ही उसका विशेष प्रसार हुआ। विशेषत: उत्तर-पूर्व भारत में ईसाई धर्मप्रचारकों ने अपनी जबर्दस्त छाप छोड़ी है। भारत के शैक्षणिक क्षेत्र में ईसाई धर्मप्रचारकों का अमूल्य योगदान रहा है।

गुरुद्वारा

सिख अपने दसों गुरुओं के प्रति बड़ी श्रद्धा रखते हैं और पवित्र पुस्तक 'ग्रंथ साहिब' की पूजा करते हैं। 'ग्रंथ साहिब' में सिख गुरुओं द्वारा रचित वाणियों तथा भारत के हिंदू और मुसलमान दोनों धर्मों के संतों के भजनों का समावेश है। सिख धर्म की प्रमुख विशेषता उसकी सहिष्णुता है।

धार्मिक समुदाय

***भा**रत धर्मनिरपेक्ष राष्ट्र है। इसका कोई राष्ट्रीयधर्म नहीं है। यहाँ सभी धर्मों का समान रूप से आदर किया जाता है। धर्म तथा उपासना की स्वतंत्रता का अधिकार, भारतीय संविधान द्वारा प्रदत्त सर्वाधिक महत्त्वपूर्ण मूलभूत अधिकारों में से एक है। संसार भर के सभी महान धर्मों के अनुयायी भारत में पाए जाते हैं।*

प्र भारत में किन प्रमुख धार्मिक संप्रदायों के लोग रहते हैं?

भारत में प्रमुख रूप से हिंदू, मुस्लिम, सिख, ईसाई, बौद्ध, जैन, पारसी और यहूदी धर्म के लोग रहते हैं।

भारतीयों में बहुसंख्यक लोग हिंदू धर्मानुयायी हैं। हिंदू धर्म संसार का सबसे पुराना धर्म है, किंतु इसकी व्याख्या करना कठिन है। हिंदू धर्म एक श्रद्धा संपन्न जीवनशैली तथा अनेक धर्मों का संगम है।

बहाई पंथ कदाचित एकमात्र पंथ है, जो सभी धर्मों को समाविष्ट करता है। इस पंथ के अनुयायी अपने-अपने धर्मों के प्रति निष्ठा रखते हैं, किंतु उनमें निहित रूढ़िगत कर्मकांड, पूर्वाग्रह जनित दोष और कट्टरता त्याग देते हैं।

बहाई मंदिर

विहार

बौद्ध धर्म गौतम बुद्ध द्वारा बताए गए चार आर्य सत्यों पर आधारित है। सम्राट अशोक ने बौद्ध धर्म को राजधर्म के रूप में अपनाया था। किंतु, तत्पश्चात यह धर्म अपने मूलस्थान भारतभूमि से ही सदियों तक विलीन रहा। आज भारत में मुख्यतया धर्मांतरित नवबौद्ध यद्यपि अल्प संख्या में हैं, फिर भी वर्तमान युग में बौद्ध धर्म के दर्शन को विश्व भर में एक नए ढंग की मान्यता प्राप्त हो रही है।

देरासर

'जैन' शब्द 'जिन' (विजेता) शब्द से बना है। जो अपने आपको जीत लेता है वह 'जिन' कहलाता है। जैनियों का विश्वास है कि उनका धर्म २४ तीर्थंकरों (पूर्ण सत्ताओं) द्वारा प्रतिपादित किया गया है। जीवन में सभी प्रकार की शुद्धता और पवित्रता पर उनकी अटूट आस्था है।

अग्यारी (अगियारी)

अग्नि की उपासना करनेवाला 'पारसी' समुदाय भारत के सबसे छोटे समुदायों में से एक है। जाति से बाहर संबंध रखने की अनुमति न होने के कारण उनकी संख्या हर वर्ष घटती जा रही है। फिर भी, उनका समुदाय भारत के सबसे जीवंत समुदायों में से एक है और व्यावसायिक तथा सार्वजनिक जीवन के सभी क्षेत्रों में उनका योगदान विशाल एवं बहुमूल्य है।

यहूदी मंदिर (सिनगॉग)

यहूदी (ज्यू) लोगों का धार्मिक जीवन उनके पवित्र धार्मिक ग्रंथ 'टोरा' में निहित ईश्वरीय आदेशों के अनुसार निर्देशित होता है। भारत का सबसे पुराना यहूदी मंदिर कोचीन के 'ज्यू टाउन' नामक शहर में स्थित है। बहुत बड़ी संख्या में भारतीय यहूदियों ने इज़राइल के लिए स्थलांतर किया है। भारत विश्व के उन थोड़े देशों में से एक है, जहाँ यहूदियों को कभी भी अत्याचार का सामना नहीं करना पड़ा।

जनजीवन

*भा*रत का वर्णन बहुधा 'नृवांशिक संग्रहालय' के रूप में किया जाता है। इतिहास के विभिन्न कालों में भिन्न-भिन्न जातियों के लोग भारत में आए और पहले से मौजूद यहाँ के मूल निवासियों के साथ घुलमिल गए। इस जमघट (मेल-मिलाप) से विविध प्रकार की जातियों-उपजातियों का विकास हुआ, जो आज भारत में स्थायी रूप से निवास करती हैं।

प्र भारत में कितने प्रकार की जातियाँ–उपजातियाँ पाई जाती हैं ?

भारतीय लोग मुख्यतः छह नृवांशिक समूहों में रखे जा सकते हैं। इनमें सबसे पुराने 'आदिवासी' हैं। 'आदिवासी' अफ्रीका से आए थे और आजकल उनकी बस्तियाँ अंदमान तथा निकोबार द्वीप-समूह में पाई जाती हैं।

तत्पश्चात जनजातियों का क्रम आता है, जो मुख्यतया मध्य तथा पूर्वी भारत के जंगलों में बहुत बड़ी संख्या में पाई जाती हैं। दूसरा बड़ा वांशिक समूह द्रविड़ लोगों का है। ये लोग दकन के पठार के दक्षिणी भाग में बसे हैं।

मध्य यूरोप से आये आर्य उत्तर भारत के बहुत बड़े भूभाग में रहते हैं।

बाद के आप्रवासियों में तुर्क, अरब, ईरानी तथा अफगान प्रमुख थे और इन सभी ने भारतीय जनता को अपनी जातिगत विशेषताओं का योगदान दिया। इसके अतिरिक्त दक्षिण-पूर्वी एशिया से आनेवाले मंगोलवंशी लोग भारत की उत्तर-पूर्वी सीमा क्षेत्र तक सीमित हैं। इस प्रकार की वांशिक विविधता ने इस देश में सभी प्रकार की संस्कृतियों के समृद्ध मिश्रण की सृष्टि कर दी है।

प्र सिद्दी लोग कौन हैं ?

'सिद्दी' अफ्रीकी मूल के विलक्षण लोग हैं। कहते हैं कि लगभग ५०० वर्ष पहले उन्हें अरब व्यापारियों ने भारत लाकर पुर्तगालियों के हाथ बेच दिया था। गुजरात के पश्चिमी किनारे पर स्थित कुछ भागों में सिद्दी लोगों की विरल बस्तियाँ पाई जाती हैं।

प्र नीग्राइड्स (हब्शियों जैसी जाति के लोग) कौन हैं ?

अंदमान द्वीप की अंदमानी, आंजेस तथा जारवा जैसी जनजातियों के रूप में नीग्रिटो लोग बचे हैं। वे लोग पूर्णतया एकाकी तथा अत्यंत आदिम ढंग का जीवन जीते हैं। तेजी से विलीन होती जा रही इस जाति के लोगों की संख्या आज केवल कुछ सैकड़ों तक ही रह गई है।

प्र 'मोपला' लोग कौन हैं ?

'मोपला' लोग भारत में बसे अरबों के वंशज हैं। ये लोग केरल के उत्तरी जिलों, मुख्यतः मलप्पुरम् में पाए जाते हैं। ये केरल के मुसलमान हैं।

प्र सबसे बड़ा आदिवासी जनजाति-समूह कौन-सा है ?

मध्य भारत की गोंड जनजाति भारत का सबसे बड़ा आदिवासी जनजाति-समूह है। राजस्थान की भील जनजाति का दूसरा, तो बिहार, पश्चिम बंगाल तथा उड़ीसा में केंद्रित संथाल जनजाति का तीसरा स्थान है।

भील जनजाति के लोग कुशल धनुर्धर होते हैं। वे अपना 'भिल्ल' नाम सार्थक करते हैं, जो द्रविड़ भाषा में धनुष के लिए व्यवहृत शब्द से व्युत्पन्न हुआ है।

प्र कौन कभी भारत के 'नरमुंड शिकारियों' के रूप में विख्यात थे ?

नागा लोगों के समूह में लगभग १६ जनजातियों का समावेश है। प्रत्येक जनजाति की अपनी बोली, वेशभूषा और रीतिरिवाज है। नागा लोग पहले लड़ाई करने तथा नरमुंड के शिकार संबंधी गतिविधियों से जुड़े हुए थे। बहुत वर्षों पहले उन्होंने ये गतिविधियाँ छोड़ दीं और आज नागालैंड भारतीय संघ का एक प्रगतिशील राज्य है।

प्र उत्तर-पूर्वी भारत के निवासियों से 'मैती' लोग किस प्रकार भिन्न हैं ?

'सात बहनों' अथवा 'सात उत्तर-पूर्वी राज्यों' का पूरा पहाड़ी भाग मूलतः मंगोलवंशी लोगों का निवासस्थल है। इनमें से बहुसंख्यक लोग ईसाई धर्म के अनुयायी हैं। केवल मणिपुर के मैती लोग ही एकमात्र वैष्णवपंथी हिंदू समुदाय के रूप में बचे हैं।

प्र भारतीय समाज की प्रमुख पृथक्कारी विशेषता क्या है ?

भारतीय समाज में 'जाति' की विशिष्ट भूमिका होती है। लोगों की किसी भी सामाजिक गतिविधि में जाति का प्रभाव प्रमुख रूप से महसूस किया जाता है। पहले का समाज चार प्रमुख वर्णों-ब्राह्मण, क्षत्रिय, वैश्य तथा शूद्र-में विभाजित था। प्रत्येक वर्ण का अपना अलग व्यवसाय तथा सामाजिक स्थिति थी। जातिबहिष्कृत अथवा अस्पृश्य लोगों का एक और भी वर्ग था।

कालांतर में इनमें से प्रत्येक वर्ग हजारों उपजातियों में विभाजित हो गया। शिक्षा के प्रसार और शहरीकरण ने जाति-पाँति संबंधी पूर्वग्रहों एवं वैमनस्य को कमजोर बना दिया है। अब अस्पृश्यता का वैधानिक रूप से उन्मूलन कर दिया गया है।

प्र भारतीय लोगों की विविधता का भारतीय संस्कृति पर कैसा प्रभाव पड़ा है ?

भारत एक विशाल पात्र है, जिसमें विविध ऐतिहासिक कारणों से बहुत-सी जातियाँ आकर एकत्र हुई हैं। इनकी विविधताओं को बिना किसी पूर्वग्रह अथवा उत्पीड़न के सहअस्तित्व में बने रहने दिया गया है, ताकि भारत की सांस्कृतिक परंपराओं की अक्षुण्णता बनी रहे।

संसार भर में लगभग ५००० भाषाएँ तथा बोलियाँ बोली जाती हैं। बलूचिस्तान में बोली जानेवाली 'ब्राहुई' भाषा मूलतः द्रविड़ भाषा परिवार की है।

मणिपुरी अथवा मैती भाषा तिब्बती-बर्मी भाषाओं में से एक है, जो आज लगभग ५ लाख लोगों द्वारा बोली जाती है।

भाषा

प्राचीन काल से भारत में भिन्न-भिन्न जातिसमूह आते गए और उनके अलग-अलग भाषा-परिवारों से आज की भारतीय भाषाओं का विकास हुआ है। अतः कोई भी भारतीय भाषा 'शुद्ध' नहीं कही जा सकती, क्योंकि इन सभी का परस्पर-विरोधी प्रभावों से जन्म हुआ है।

प्र भारत में कितनी भाषाएँ बोली जाती हैं ?

भारत में संविधानमान्य भाषाओं की कुल संख्या १८ है। अँग्रेजी का अतिरिक्त अधिकृत भाषा के रूप में प्रयोग किया जाता है। यहाँ जनगणना के आँकड़ों के अनुसार १६५२ भाषाएँ तथा बोलियाँ मातृभाषाओं के रूप में सूचीबद्ध की गई हैं।

प्र भारत के प्रमुख भाषिक विभाग कौन-से हैं ?

अधिकतर भारतीय भाषाएँ दो स्थूल समूहों के अंतर्गत आती हैं–आर्य तथा द्रविड़ परिवार की भाषाएँ। इनमें से मराठी, गुजराती, बँगला, हिंदी तथा इनके समान कुछ अन्य भाषाएँ आर्य भाषा परिवार की हैं। द्रविड़ भाषाओं तथा बोलियों का एक अलग ही समूह है और आर्य भाषाओं के आगमन के बहुत पहले से ही भारत में उनका उपयोग किया जाता रहा है। तेलुगु, तमिल, कन्नड़ तथा मलयालम प्रमुख द्रविड़ भाषाएँ हैं।

प्र द्रविड़ भाषा परिवार की सबसे पुरानी भाषा कौन-सी है ?

तमिल द्रविड़ भाषा परिवार की सबसे पुरानी भाषा मानी गई है। दकन के पठार के साथ-साथ कारोमंडल तथा मलाबार तट पर तमिल भाषा अलग-अलग रूपों में बोली जाती थी। सातवीं तथा तेरहवीं शताब्दी के बीच तमिल के भिन्न-भिन्न रूप तेलुगु, कन्नड़, मलयालम आदि भाषाओं के रूप में विकसित हुए।

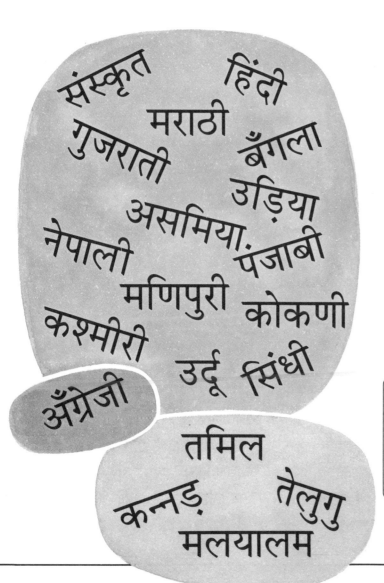

संस्कृत हिंदी मराठी गुजराती बँगला उड़िया असमिया पंजाबी नेपाली मणिपुरी कोकणी कश्मीरी उर्दू सिंधी अँग्रेजी तमिल कन्नड़ तेलुगु मलयालम

□ तेलुगु भाषा चार द्रविड़ भाषाओं में से एक है। यह आर्य-भाषा परिवार की हिंदी भाषा के बाद भारत में सर्वाधिक बोली जाती है।

वणक्कम्– तमिल भाषा में शुभकामना।

साहित्य अकादेमी (राष्ट्रीय साहित्य अकादेमी) ने २२ भारतीय भाषाओं को साहित्यिक भाषाओं के रूप में मान्यता दी है। इनमें से ११ भारतीय आर्य भाषा परिवार तथा ४ द्रविड़ भाषा परिवार की भाषाएँ हैं। इसके अतिरिक्त अँग्रेजी, डोगरी, कोंकणी, मणिपुरी, मैथिली, नेपाली तथा राजस्थानी भाषाओं को भी इस संदर्भ में मान्यता प्राप्त है।

साहित्य अकादेमी

अँग्रेजी भाषा ने भारतीय भाषाओं से सैकड़ों शब्द ग्रहण किए हैं। जैसे–'कैश' शब्द तमिल के 'कासू' (सिक्का) से, 'कूली' शब्द कन्नड़ भाषा के 'कुली' से तथा 'शैम्पो' शब्द हिन्दी के 'चम्पी' शब्द से लिया गया है।

प्र | 'संस्कृत' का शाब्दिक अर्थ क्या है ?

'संस्कृत' का शाब्दिक अर्थ है 'परिमार्जित' अथवा 'विशुद्ध'। संस्कृत धर्मग्रंथों की भाषा थी। किंतु व्याकरण के कठोर नियमों तथा कठिन उच्चारण के कारण संस्कृत सिर्फ कुछ सुशिक्षितों की भाषा बनकर रह गई। लैटिन भाषा की तरह आजकल संस्कृत भी किंचित ही बोली जाती है, किंतु राष्ट्रीय स्तर पर अधिकृत भाषा के रूप में इसे सूचीबद्ध किया गया है। भारतीय आर्य भाषाएँ संस्कृत से ही विकसित हुई हैं।

प्र | प्राकृत का क्या तात्पर्य है ?

संस्कृत के विपरीत प्राकृत का तात्पर्य 'प्राकृतिक' ('नैसर्गिक') अथवा 'असंस्कृत' है। सामान्य लोगों द्वारा बोली जानेवाली प्राकृत संस्कृत भाषा का ही एक व्यावहारिक रूप थी। प्राकृत के रूपों ने विभिन्न क्षेत्रों में अलग-अलग बोलियों का रूप धारण कर लिया। ये प्रादेशिक बोलियाँ धीरे-धीरे विभिन्न राज्यों की भाषाओं के रूप में विकसित हुईं।

☐ हिंदू धर्म के कर्मकांडों तथा पूजा-उपासना में संस्कृत भाषा का प्रयोग होता है।

नमस्कार

स्कार–
दी भाषा में
भकामना।

☐ भारतीय आर्य भाषा परिवार की सबसे अधिक लोगों द्वारा बोली जानेवाली भाषा हिंदी भारत सरकार की अधिकृत राजभाषा है। यह छह राज्यों की राजभाषा है। हिंदी भाषा की अनेक बोलियाँ हैं।

प्र | उर्दू भाषा का विकास कैसे हुआ ?

'जबान-ए-उर्दू-ए-मुअल्ला' का संक्षिप्त नाम 'उर्दू' है। इसका तात्पर्य है, 'प्रतिष्ठित लोगों के शिविर अथवा राजदरबार की भाषा।' दिल्ली के मुसलमान शासकों के दरबारी लोग अथवा सैनिक छावनियों (शिविरों) के लोग उच्चस्तरीय (प्रतिष्ठित) माने जाते थे। शासकों (बादशाहों) की दरबारी भाषा फारसी थी। किंतु, लोगों से व्यवहार तथा प्रशासन के लिए किसी स्थानीय भाषा की जरूरत थी। अतः समन्वय किया गया, जिससे उर्दू का जन्म हुआ। उर्दू पहले दकन तथा बाद में दिल्ली में विकसित हुई। जम्मू और कश्मीर की राज्यभाषा उर्दू है। सुप्रसिद्ध कवियों, जैसे, इब्राहीम ज़ौक़ तथा मिर्ज़ा ग़ालिब के साहित्य की भाषा

उर्दू थी। विख्यात उपन्यासकार प्रेमचंद ने भी उर्दू में लेखनकार्य किया है।

प्र | भारतीय अँग्रेजी क्या है ?

भारतीयों ने स्वयमेव अँग्रेजी भाषा के विभिन्न प्रकारों का विकास किया है। उन्होंने अँग्रेजी के अनेक शब्दों को भारतीय भाषा में अपनाया है। ऐसी अँग्रेजी को 'हॉब्सन-जॉब्सन' या भारतीय अँग्रेजी के नाम से जाना जाता है। भारतीय अँग्रेजी की अपनी ऐसी चित्र-विचित्र शब्द संपदा और अनियंत्रित व्याकरण है। इससे एक वैकल्पिक तथा अनधिकृत प्रकार की अँग्रेजी भारत में विकसित हुई है।

भारत की राष्ट्रभाषा हिंदी देवनागरी लिपि में लिखी जाती है।

मलयालम भाषा यद्यपि द्रविड़ भाषा परिवार की एक शाखा है, फिर भी यह एक भिन्न भाषा के रूप में विकसित हुई है, जिसकी अपनी सुंदर लिपि है। मजेदार बात यह कि उलटा पढ़ने पर भी (म–ल–या–ल–म M-a-l-a-y-a-l-a-m) शब्द का उच्चारण पूर्ववत् ही होता है।

लिपियाँ

भारत में बहुत प्राचीन काल से ही लेखन कला की जानकारी थी। हड़प्पा संस्कृति के लोग २५० से ४०० अक्षरोंवाली विलक्षण चित्रलिपि का प्रयोग करते थे। दुर्भाग्यवश, अपने प्रयोग काल, ३००० वर्ष पूर्व से, अब तक यह लिपि पढ़ी नहीं जा सकी है।

प्र भारत में कितनी लिपियाँ प्रयोग में लाई जाती हैं ?

अधिकृत रूप से मान्यता प्राप्त १८ भाषाओं के लिए ११ प्रमुख लिपियों का प्रयोग होता है। ये लिपियाँ इस प्रकार हैं : असमिया, बँगला, देवनागरी, गुजराती, गुरुमुखी, तेलुगु, कन्नड़, मलयालम, उड़िया, फारसी–अरबी और तमिल। कुछ भाषाओं की एक ही लिपि है।

प्र सबसे पहली पढ़ी गई भारतीय लिपि कौन-सी थी ?

ई. पू. तीसरी शताब्दी के सम्राट अशोक के शिलालेखों की ब्राह्मी लिपि भारत में प्रयुक्त तथा पढ़ी गई पहली लिपि थी। वास्तव में, ब्राह्मी लिपि आज प्रयोग में आनेवाली अधिकतर भारतीय लिपियों की जननी है।

प्र गुरुमुखी क्या है ?

गुरुमुखी का शाब्दिक अर्थ है, 'गुरु के मुख से निकली वाणी'। ४०० वर्ष पहले सिखों के गुरु अंगद द्वारा इस लिपि को यह नाम दिया गया। पंजाबी भाषा लिखने के लिए इस लिपि का अत्यधिक उपयोग किया जाता है।

ब्राह्मी, पुरोहितों (ब्राह्मणों) की लिपि कही जाती थी। 'खरोष्ठी', का अर्थ 'गधे के ओठोंवाली' है। यह लिपि लिपिकों द्वारा प्रयोग में लाई जाती थी। उत्तर-पश्चिमी भारत में अशोक के शिलालेख (अभिलेख) खरोष्ठी लिपि में अंकित किए गए थे।

ब्राह्मी लिपि में अंकित सम्राट अशोक का आदेश (शिलालेख)

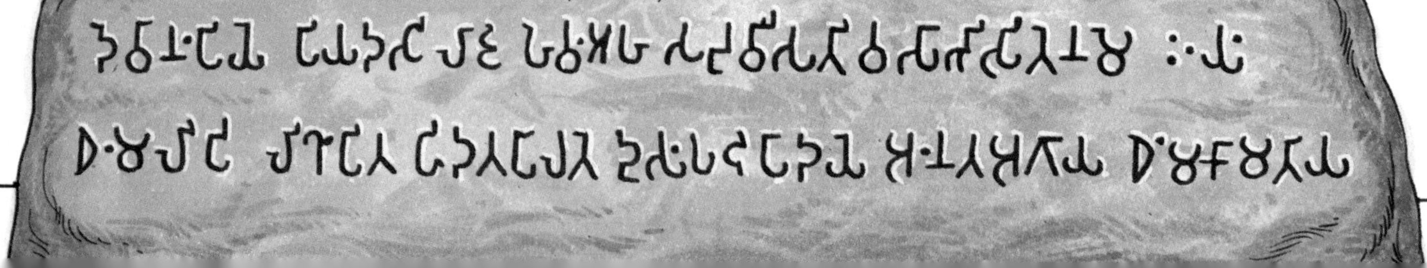

भारत का संविधान
THE CONSTITUTION OF INDIA

भारत का संविधान

संविधान

भारत का संविधान मूलतः अँग्रेजी भाषा में है। उसका हिंदी अनुवाद २४ जनवरी, १९५० को प्रकाशित हुआ।

प्रस्तावना

हम, भारत के लोग, भारत को एक संपूर्ण **प्रभुत्व-संपन्न समाजवादी धर्म-निरपेक्ष लोकतंत्रात्मक गणराज्य** बनाने के लिए, तथा उसके समस्त नागरिकों को :

सामाजिक, आर्थिक और राजनैतिक **न्याय,**

विचार, अभिव्यक्ति, विश्वास, धर्म

और उपासना की **स्वतंत्रता,**

प्रतिष्ठा और अवसर की **समता**

प्राप्त कराने के लिए,

तथा उन सब में

व्यक्ति की गरिमा और राष्ट्र की एकता

और एकात्मता सुनिश्चित करनेवाली **बंधुता**

बढ़ाने के लिए

दृढ़संकल्प होकर **अपनी इस संविधान-सभा में** आज तारीख २६ नवंबर, १९४९ ई. (मिति मार्गशीर्ष शुक्ल सप्तमी, संवत् दो हजार छह विक्रमी) **को एतद् द्वारा इस संविधान को अंगिकृत, अधिनियमित और आत्मार्पित करते हैं।**

संविधान की प्रस्तावना

'समाजवादी', 'धर्मनिरपेक्ष' तथा 'और एकात्मता' शब्दावली प्रस्तावना में सन् १९७६ में जोड़ी गईं।

डॉ. बाबासाहेब आंबेडकर

राज्य के नीतिनिर्देशक तत्त्वों में कुछ लक्ष्य निर्धारित किए गए हैं जिनकी प्राप्ति के लिए राज्य को लोककल्याणकारी उपक्रम करने का निर्देश दिया गया है। ये नीतिनिर्देशक तत्त्व अनुशंसात्मक हैं। अतः इनके पालन की कार्यवाही में न्यायपालिका राज्य पर सख्ती नहीं कर सकती।

प्र प्रस्तावना का तात्पर्य क्या है ?

भारतीय संविधान की प्रस्तावना में से कुछ पंक्तियाँ पिछले पृष्ठ पर दी गई हैं। यह प्रस्तावना भारतीय संविधान की व्यवस्थाओं का परिचय प्रदान करती है। इसमें भारतीय राज्य के स्वरूप, उद्देश्य तथा उसके प्रमुख लक्ष्यों का स्पष्टीकरण किया गया है।

प्र भारत के संविधान की रचना किसने की ?

सन् १९४७ तक भारतवासियों के लिए कोई अधिकृत संविधान नहीं था। जब १५ अगस्त, १९४७ को भारत स्वतंत्र हुआ, तब संविधान की आवश्यकता महसूस की गई।

अतः संविधान की रचना करने के लिए अधिकृत विधिमंडल की स्थापना की गई। इस मंडल ने डॉ. भीमराव रामजी (बाबासाहेब) आंबेडकर की अध्यक्षता में संविधान का मसविदा निर्मित करने के लिए एक समिति का गठन किया। देश के सर्वोत्तम विचारकों ने पूरे २ वर्ष ११ माह और १८ दिनों तक अथक परिश्रम और निष्ठा से कार्य कर भारत का संविधान तैयार किया।

२६ जनवरी, १९५० को यह संविधान लागू हुआ। उसी दिन भारत ने अपने आप को 'सर्वप्रभुत्वसंपन्न जनतंत्रात्मक गणराज्य' घोषित किया। इसीलिए प्रति वर्ष २६ जनवरी का दिन 'गणतंत्र दिवस' के रूप में मनाया जाता है।

प्र भारतीय संविधान की प्रमुख विशेषताएँ क्या हैं ?

१. भारत का संविधान, लिखित एवं विवरणात्मक अभिलेख है। यह विश्व का सबसे प्रदीर्घ संविधानों में से है।

२. इसमें ३९७ अनुच्छेद (धाराएँ) तथा १२ अनुसूचियाँ हैं।

३. इसमें संपूर्ण भारत के लिए इकहरी नागरिकता का प्रावधान किया गया है।

४. इसमें १८ वर्ष तथा उससे अधिक उम्रवाले सभी नागरिकों को, यदि वे किसी अन्य कारण से अपात्र नहीं घोषित किए. गए हैं, तो मतदान का अधिकार दिया गया है।

५. इसके द्वारा प्रत्येक भारतीय नागरिक को कतिपय मूलभूत अधिकार प्रदान किए गए हैं।

६. इसके द्वारा संपूर्ण भारत के लिए एक समन्वित न्यायव्यवस्था प्रस्थापित की गई है।

७. धर्मनिरपेक्ष राष्ट्र होने के कारण भारत ने सर्वधर्मसमभाव अंगीकार किया है।

प्र संविधान की संरक्षक संस्था कौन-सी है ?

भारतीय संविधान के संरक्षण का उत्तरदायित्व सर्वोच्च न्यायालय पर है, जिसमें भारत के प्रमुख न्यायाधीश और अन्य न्यायाधीशों का समावेश होता है। सर्वोच्च न्यायालय संपूर्ण देश की समन्वित न्यायपालिका के शीर्ष पर स्थित है। सर्वोच्च न्यायालय से संबंधित देश के अन्य न्यायालय द्वितीय श्रेणी के हैं। सर्वोच्च न्यायालय संविधान के व्याख्याता एवं संरक्षक के रूप में नागरिकों के मूलभूत अधिकारों की सुरक्षा की जिम्मेदारी निभाता है।

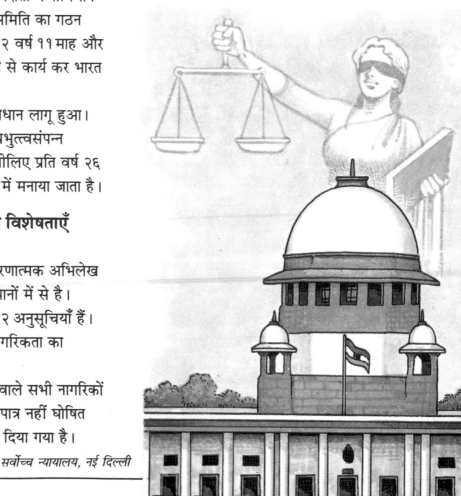

सर्वोच्च न्यायालय, नई दिल्ली

भारतीय संविधान में ब्रिटेन (इंग्लैंड) में प्रचलित संसदीय शासन प्रणाली अपनाई गई है; केवल एक माने में यह ब्रिटेन की शासन प्रणाली से भिन्न है। भारत में संविधान को सर्वोच्च स्थान दिया गया है, संसद को नहीं।

संघ शासन की संरचना

राष्ट्रपति भारत का कार्यकारी राज्यप्रमुख होने के अतिरिक्त सशस्त्र सेनाओं का सर्वोच्च सेनापति भी होता है।

प्र भारत का नागरिक कौन हो सकता है ?

वह व्यक्ति, जिसका जन्म भारत में हुआ हो अथवा जिसके माता-पिता भारत में जन्मे हों या जो भारत की स्वतंत्रता-प्राप्ति के पाँच वर्ष पहले से ही भारत का निवासी रहा हो और जिसने भारतीय संविधान को स्वीकार किया हो, उसे भारत का नागरिक माना जाता है।

संविधान ने संपूर्ण भारत के लिए इकहरी नागरिकता का प्रावधान किया है। संविधान में स्थापित सभी मूलभूत अधिकारों तथा विशेषाधिकारों का प्रत्येक नागरिक समान रूप से हकदार है। उदाहरणार्थ, वाणी तथा विचार स्वातंत्र्य का अधिकार।

प्र भारत के केंद्रीय शासन की रचना कैसी है ?

भारतीय संविधान के अनुसार शासन (सरकार) की रचना विधायिका, कार्यपालिका तथा न्यायपालिका के तीन घटकों के रूप में की गई है। लोकसभा तथा राज्यसभा को मिलाकर बनी संसद केंद्रीय शासन की विधायिका है। संघ शासन की कार्यपालिका के अंतर्गत राष्ट्रपति, उपराष्ट्रपति तथा प्रधानमंत्री के नेतृत्व में बनी मंत्रिपरिषद का समावेश होता है। सर्वोच्च न्यायालय भारत की शीर्ष न्याय संस्था है, जिसमें मुख्य न्यायाधीश तथा अन्य न्यायाधीशों का समावेश होता है।

संसद भवन, नई दिल्ली

राष्ट्रपति

उपराष्ट्रपति

प्रधानमंत्री

केंद्रीय मंत्रिमंडल

संसद

प्र भारत का शासन (सरकार) कौन चलाता है ?

यद्यपि राष्ट्रपति राज्य का कार्यकारी प्रमुख होता है, फिर भी प्रत्यक्ष रूप से सरकारी कामकाज का संचालन प्रधानमंत्री करता है। वह लोकसभा के बहुमतप्राप्त दल अथवा संयुक्त दल का नेता होता है। वह मंत्रिमंडल के अन्य मंत्रियों का चुनाव करता है। राज्य के प्रशासन संबंधी मामलों के बारे में मंत्रिमंडल द्वारा लिए गए सभी निर्णयों की जानकारी राष्ट्रपति को देना प्रधानमंत्री का उत्तरदायित्व है।

प्र देश के लिए कानून कौन बनाता है ?

संपूर्ण भारत के लिए विधि-निर्माण संबंधी अधिकार संसद को दिए गए हैं। संसद में राष्ट्रपति, लोकसभा और राज्यसभा का समावेश होता है। लोकसभा के ५४५ सदस्यों का चुनाव आमचुनावों में प्रत्यक्ष रूप से जनता द्वारा किया जाता है। ये आमचुनाव हर पाँच वर्ष पर होते हैं। राज्यसभा स्थायी सदन है और इसकी अधिकतम सदस्य संख्या २५० होती है। इसके एक-तिहाई सदस्य प्रति दो वर्ष के बाद निवृत्त हो जाते हैं और उतनी ही संख्या में नए सदस्य पुनः चुन लिए जाते हैं। इस प्रकार राज्यसभा के सदस्यों का कार्यकाल छह वर्षों का होता है।

संसद संपूर्ण देश के लिए विधि-निर्माण का कार्य करती है। विधेयक संसद के दोनों सदनों में स्वीकृति के लिए प्रस्तुत किए जाते हैं। उनकी स्वीकृति मिलने के बाद राष्ट्रपति की सहमति ली जाती है। तत्पश्चात वह विधेयक कानून बन जाता है।

तेलुगु भाषी जनता ने पहली बार अपने लिए 'आंध्र प्रदेश' के रूप में एक अलग भाषावार राज्य की माँग की। इसके फलस्वरूप भारत में भाषिक आधारों पर स्पष्ट सीमा अंकित राज्यों का पुनर्गठन किया गया।

क्षेत्रफल की दृष्टि से मध्यप्रदेश भारतीय संघ का सबसे बड़ा तथा गोवा सबसे छोटा राज्य है। क्षेत्रफल तथा जनसंख्या दोनों दृष्टियों से महाराष्ट्र तीसरा सबसे बड़ा राज्य है।

प्र भारत का वर्णन 'राज्यों का संघ' के रूप में क्यों किया जाता है ?

अपने देश को सन १९४७ में स्वतंत्रता मिली। उसके बाद भारत के अलग-अलग राज्यों में बोली जानेवाली भाषाओं के अनुसार भाषावार प्रांतों की रचना की जोरदार माँग की गई। अतः भाषावार प्रांतों की रचना करके राज्यों की नयी सीमारेखा तैयार की गई तथा कुछ नये राज्यों की भाषावार रचना हुई। अतः भारत संघराज्य तथा केंद्रशासित प्रदेशोंवाला देश बना।

प्र भारतीय संघराज्य में कितने राज्य हैं ? उनका प्रशासनतंत्र कैसा है ?

१९९७ में भारतीय संघराज्य के अंतर्गत २५ राज्य तथा ७ केंद्रशासित प्रदेश रहे हैं। संविधान ने इनमें से प्रत्येक घटक के लिए स्वतंत्र प्रशासनतंत्र की व्यवस्था की है।

प्रत्येक राज्य के प्रशासनतंत्र का गठन भी संघ सरकार के प्रशासनतंत्र की ही भाँति किया जाता है। प्रत्येक घटकराज्य का प्रशासन राज्यपाल करता है, जिसकी नियुक्ति राष्ट्रपति द्वारा की जाती है। राष्ट्रपति की भाँति राज्यपाल भी संवैधानिक प्रमुख होता है और मुख्यमंत्री के नेतृत्व में मंत्रिपरिषद की सलाह से राज्य का प्रशासन करता है। राज्य के विधानमंडल में विधानसभा तथा विधान परिषद (सिर्फ पाँच राज्यों में) का समावेश होता है। इन्हें ही कानून बनाने का अधिकार प्राप्त है। राज्य स्तर पर उच्च न्यायालय न्यायपालिका की सर्वोच्च संस्था के रूप में काम करता है। प्रत्येक जिले में न्याय प्रदान करने के कार्य में जिला स्तर के अवर न्यायालय उसकी सहायता करते हैं।

केंद्रशासित प्रदेशों का प्रशासन राष्ट्रपति द्वारा नियुक्त प्रशासक अथवा उपराज्यपाल द्वारा किया जाता है।

प्र भारत के ग्रामीण क्षेत्रों में स्थानीय स्वराज्य संस्थाएँ कौन-सी हैं ?

भारत के ग्रामीण क्षेत्रों में त्रिस्तरीय स्थानीय स्वराज्य संस्थाएँ काम करती हैं। ग्राम स्तर पर ग्राम पंचायत, तहसील (तालुका) स्तर पर पंचायत समिति और जिला स्तर पर जिला परिषद कार्य करती है। इन संस्थाओं की समितियों के सदस्यों का चुनाव मतदान द्वारा होता है। ये सदस्य लोककल्याणकारी कार्य करते हैं।

शहरी भाग में स्थानीय स्वराज्य संस्थाओं के नाम भिन्न हैं, किंतु उनके काम एक जैसे ही हैं। शहरी भाग में नगर परिषद तथा पाँच लाख से अधिक जनसंख्यावाले बड़े शहरों में महानगरपालिका जैसी स्थानीय स्वराज्य संस्थाएँ काम करती हैं।

चुनाव आयोग विभिन्न राजनीतिक दलों तथा स्वतंत्र (निर्दलीय) उम्मीदवारों को चुनाव चिह्नों का आबंटन करता है। चुनाव चिह्न महत्त्वपूर्ण होते हैं, क्योंकि देश के बहुसंख्यक मतदाता निरक्षर होने के कारण नाम की अपेक्षा चुनाव चिह्नों के माध्यम से ही अपनी पसंद के प्रत्याशी को मतदान कर सकते हैं।

१९९१ के दसवें आम चुनाव में ५२ करोड़ मतदाताओं ने भाग लिया। मतदाताओं की यह संख्या संयुक्त राज्य अमेरिका की ३२ करोड़ जनसंख्या से भी अधिक है। फलतः भारत संसार का सबसे बड़ा मतदाता संख्यावाला देश बन गया।

प्र भारत संसार का सबसे बड़ा जनतंत्र क्यों माना जाता है ?

भारत के संविधान में वयस्क मताधिकार का प्रावधान है। वयस्क मताधिकार का अर्थ यह है कि १८ वर्ष अथवा उससे अधिक आयुवाले प्रत्येक नागरिक को अपनी पसंद के उम्मीदवार को मत देने का अधिकार प्राप्त है। १९५२ में संपन्न स्वतंत्र भारत के प्रथम सार्वजनिक चुनाव की प्रक्रिया पूरी करने में चार महीने का समय लगा। १७ करोड़ ३० लाख मतदाताओं की सूची तैयार करना बहुत बड़ा कार्य था, क्योंकि ८० प्रतिशत से अधिक मतदाता निरक्षर थे।

इस चुनाव में लोकसभा तथा राज्यों की विधानसभाओं के ३,८०० स्थानों के लिए ५९ राजनीतिक दलों के १७,००० से भी अधिक उम्मीदवारों ने चुनाव लड़ा था। प्रत्येक उम्मीदवार को अलग चुनाव चिह्न प्रदान किया गया था। इस चुनाव के लिए लगभग २,००,००० मतदान केंद्र बनाने पड़े थे और ६० करोड़ मतपत्र छपाए गए थे।

इस चुनाव में हर उम्मीदवार के लिए अलग मतपेटी होने के कारण २० लाख से अधिक मतपेटियाँ तैयार कराई गई थीं।

इस प्रत्यक्ष चुनाव के बाद राष्ट्रपति, उपराष्ट्रपति, राज्यसभा तथा राज्यविधान परिषदों के सदस्यों के चुनाव के लिए अप्रत्यक्ष चुनाव कराए गए। इस चुनाव के पश्चात पं. जवाहरलाल नेहरू भारत के प्रथम प्रधानमंत्री तथा डा. राजेन्द्र प्रसाद भारत के पहले राष्ट्रपति बने।

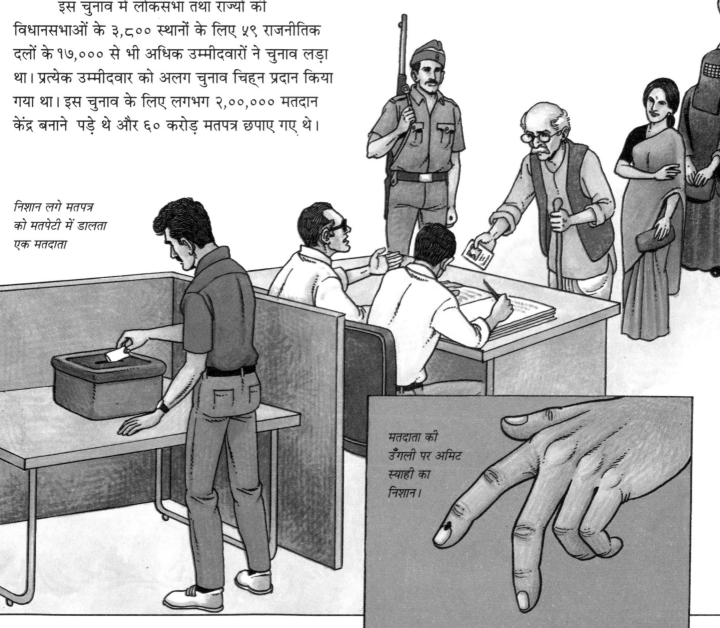

निशान लगे मतपत्र को मतपेटी में डालता एक मतदाता

मतदाता की उँगली पर अमिट स्याही का निशान।

राष्ट्रध्वज

हमारा राष्ट्रध्वज स्वतंत्र भारत का प्रतीक है। इस तिरंगे झंडे में केसरिया, सफेद और हरे रंग की तीन आड़ी पट्टियाँ हैं। सारनाथ में अशोक स्तंभ पर बनी सिंहाकृति के पदतल में खुदे चक्र की यथावत प्रतिकृति राष्ट्रध्वज के मध्य में अंकित की गई है। २२ जुलाई, १९४७ को यह राष्ट्रध्वज स्वीकृत हुआ और १५ अगस्त, १९४७ को ससम्मान राष्ट्र को समर्पित किया गया।

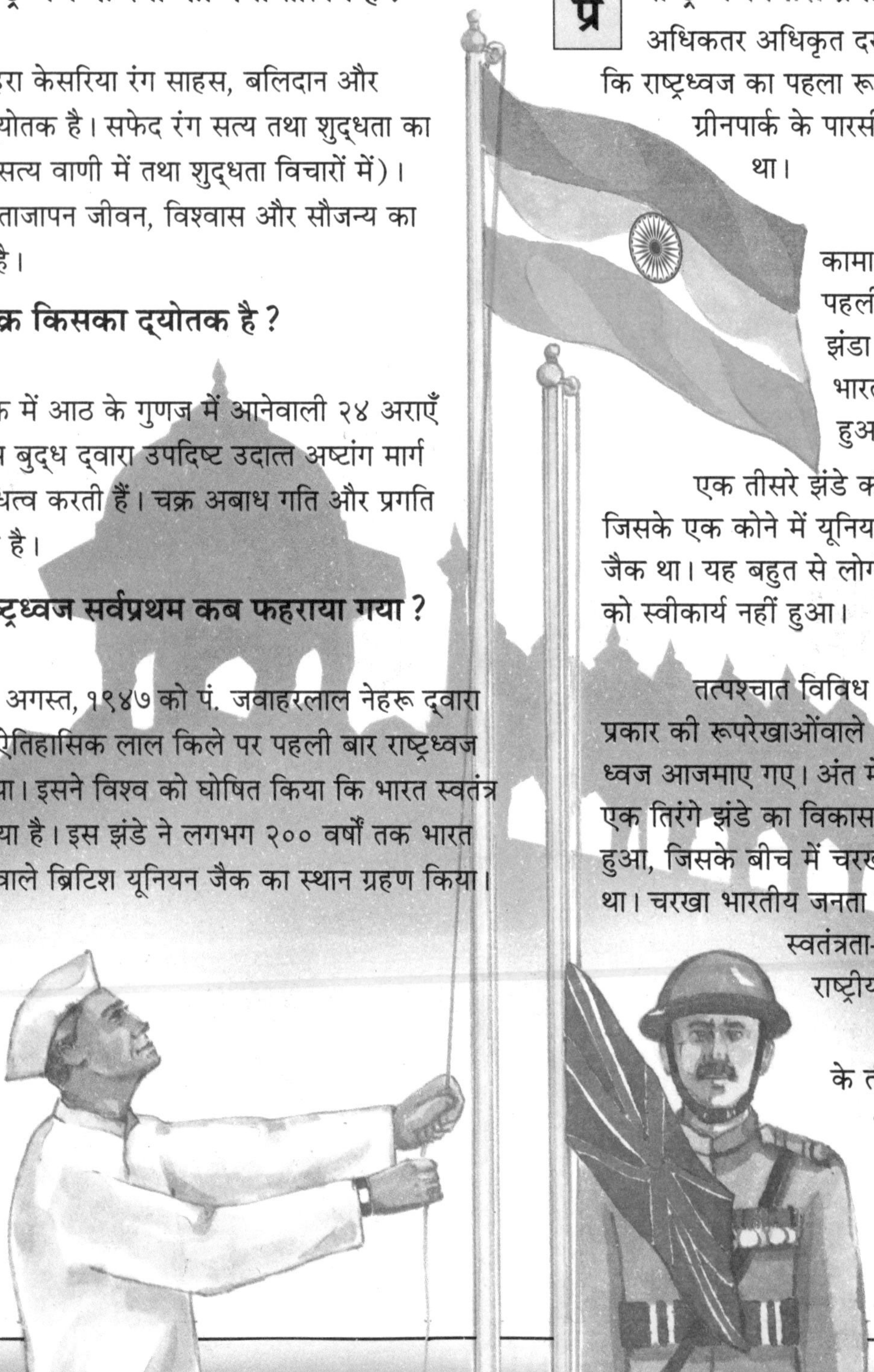

प्र **राष्ट्रध्वज के रंगों का क्या तात्पर्य है ?**

गहरा केसरिया रंग साहस, बलिदान और त्याग का द्योतक है। सफेद रंग सत्य तथा शुद्धता का प्रतीक है (सत्य वाणी में तथा शुद्धता विचारों में)। हरे रंग का ताजापन जीवन, विश्वास और सौजन्य का परिचायक है।

प्र **चक्र किसका द्योतक है ?**

चक्र में आठ के गुणज में आनेवाली २४ अराएँ हैं। ये गौतम बुद्ध द्वारा उपदिष्ट उदात्त अष्टांग मार्ग का प्रतिनिधित्व करती हैं। चक्र अबाध गति और प्रगति का द्योतक है।

प्र **राष्ट्रध्वज सर्वप्रथम कब फहराया गया ?**

१५ अगस्त, १९४७ को पं. जवाहरलाल नेहरू द्वारा दिल्ली के ऐतिहासिक लाल किले पर पहली बार राष्ट्रध्वज फहराया गया। इसने विश्व को घोषित किया कि भारत स्वतंत्र राष्ट्र बन गया है। इस झंडे ने लगभग २०० वर्षों तक भारत पर फहरानेवाले ब्रिटिश यूनियन जैक का स्थान ग्रहण किया।

प्र **राष्ट्रध्वज किस प्रकार विकसित हुआ ?**

अधिकतर अधिकृत दस्तावेज़ों से संकेत मिलता है कि राष्ट्रध्वज का पहला रूप सन् १९०६ में कलकत्ता के ग्रीनपार्क के पारसी बागान चौक में फहराया गया था।

वर्ष भर बाद मादाम कामा तथा उनके सहयोगियों ने पहली बार जर्मनी में भारत का झंडा फहराया। लेकिन यह झंडा भारत में कभी भी व्यवहृत नहीं हुआ।

एक तीसरे झंडे की रूपरेखा तैयार की गई, जिसके एक कोने में यूनियन जैक था। यह बहुत से लोगों को स्वीकार्य नहीं हुआ।

मादाम कामा
(१९०७)

तत्पश्चात विविध प्रकार की रूपरेखाओंवाले ध्वज आजमाए गए। अंत में एक तिरंगे झंडे का विकास हुआ, जिसके बीच में चरखा था। चरखा भारतीय जनता के उद्योग का प्रतीक था। स्वतंत्रता-आंदोलन के प्रारंभ में वह राष्ट्रीय संघर्ष का प्रतीक बन गया।

भारत की स्वतंत्रता-प्राप्ति के तीन सप्ताह पहले २२ जुलाई, १९४७ को तिरंगा झंडा भारत के राष्ट्रध्वज के रूप में स्वीकार किया गया। इसमें चरखे का स्थान चक्र ने ग्रहण कर लिया।

१९०७   १९१७   १९२१   १९३१   १९४७

प्र — झंडा-सत्याग्रह क्यों किया गया ?

स्वतंत्रता के प्रतीक के रूप में चरखेवाला तिरंगा झंडा अत्यंत लोकप्रिय हो गया था। छोटे-बड़े आकार के हजारों झंडे बनाकर देश भर में बाँटे गए। इससे डरकर ब्रिटिश सरकार ने इनके उपयोग पर पाबंदी लगा दी। इसलिए सन् १९२३ में नागपुर में झंडा-सत्याग्रह किया गया। हजारों लोगों ने झंडे लेकर मोर्चे तथा जुलूस निकाले। फलत: ब्रिटिश सरकार जुलूसों में झंडों के प्रयोग पर लगाई गई पाबंदी हटाने के लिए मजबूर हो गई।

ओलिम्पिक प्रतियोगिता में भारतीय टीम

प्र — ध्वज-संहिता क्या है ?

राष्ट्रध्वज किसी राष्ट्र का प्रतीक होता है। इसके प्रति सदैव आदर तथा श्रद्धा व्यक्त करनी चाहिए तथा इसकी मर्यादा बनाए रखनी चाहिए। राष्ट्रध्वज के उचित उपयोग तथा प्रदर्शन के लिए नियम निर्धारित किए गए हैं।

राष्ट्रध्वज हमेशा सूर्योदय के समय फहराना चाहिए और सूर्यास्त के समय उतार लेना चाहिए।

केवल महत्त्वपूर्ण सरकारी तथा सार्वजनिक भवनों पर राष्ट्रध्वज प्रतिदिन फहराया जाता है। सामान्य नागरिक इसे 'स्वतंत्रता दिवस' (१५ अगस्त), 'महात्मा गांधी जयंती' (२ अक्टूबर), जलियाँवाला बाग हत्याकांड के अमर शहीदों की स्मृति में हर वर्ष मनाए जानेवाले 'राष्ट्रीय सप्ताह' (६ अप्रैल से १३ अप्रैल तक), 'गणतंत्र दिवस' (२६ जनवरी) तथा दूसरे महत्त्वपूर्ण राष्ट्रीय उत्सवों के दिन ही फहरा सकते हैं।

अत्यंत महत्त्वपूर्ण भारतीय अथवा विदेशी महापुरुषों के निधन पर शोक व्यक्त करने के लिए सरकारी तथा सार्वजनिक भवनों पर का राष्ट्रध्वज आधा झुका दिया जाता है।

राष्ट्रध्वज को कभी भी जमीन का स्पर्श करने नहीं देना चाहिए। व्यक्तिगत झंडे, परदे अथवा दूसरे किसी भी काम के लिए राष्ट्रध्वज का उपयोग नहीं करना चाहिए।

जुलूस में ले जाते समय राष्ट्रध्वज, ले जानेवाले व्यक्ति के दाहिने कंधे पर ऊँचा उठा रहना चाहिए।

प्र — किसी स्वतंत्र देश के लिए झंडा (ध्वज) क्यों आवश्यक माना जाता है ?

'राष्ट्रध्वज' देश की सार्वभौमिकता, आदर्शों तथा राष्ट्रीय महत्त्वाकांक्षाओं का पावन प्रतीक है। यह हमें याद दिलाता है कि अपनी अनेक विविधताओं के बावजूद हम सब एक ही राष्ट्र के नागरिक हैं। विश्व के प्रत्येक स्वतंत्र देश का अपना ध्वज होता है, जो उस देश की उज्ज्वल प्रतिष्ठा तथा सामूहिक अभिमान का प्रतीक होता है। राष्ट्रध्वज देशवासियों की राष्ट्रीयता की भावना को निरंतर जागृत रखता है।

सत्यमेव जयते

‘सत्यमेव जयते’ शब्द मुंडकोपनिषद के प्रारंभिक श्लोक का एक भाग है।

राष्ट्रीय प्रतीक

सारनाथ में स्थित अशोक स्तंभ के ऊपरी भाग को राष्ट्रीय प्रतीक के रूप में स्वीकार किया गया है। अशोक स्तंभ के चार सिंहों के बदले इस प्रतीक में सिर्फ तीन ही सिंह दिखाई देते हैं। स्तंभशीर्ष के निचले भाग के चौखटे के बीच में खुदे चक्र की प्रतिकृति के दाहिने बैल तथा बाएँ घोड़ा अंकित है। उसके पिछले भाग में हाथी और गैंडा अंकित हैं। चौखटे के नीचे देवनागरी लिपि में ‘सत्यमेव जयते’ (सत्य की ही विजय होती है) शब्द उत्कीर्ण किए गए हैं।

प्र प्रतीक क्यों आवश्यक है ?

प्रत्येक स्वतंत्र देश का अपना राष्ट्रीय प्रतीक होता है। सरकारी कागजपत्रों तथा चीजों पर यह प्रतीक स्पष्टतया दिखाई देता है। यह प्रतीक राष्ट्र की सत्ता का प्रतिनिधित्व करता है। केवल सरकारी कामकाजों में ही इस प्रतीक का उपयोग किया जाता है।

प्र राष्ट्रीय प्रतीक का प्रयोग कहाँ किया जाता है ?

भारत सरकार के सभी सरकारी कागजपत्रों तथा मुहरों पर इस प्रतीक का प्रयोग किया जाता है। यह प्रतीक सरकारी प्रकाशनों तथा फिल्म डिवीजन द्वारा निर्मित फिल्मों पर भी दिखाई देता है। सिक्कों तथा करेंसी नोटों पर यह प्रतीक मुख्य रूप से परिलक्षित होता है। विदेशों में गए भारतीय शिष्ट मंडल अपने चीनी मिट्टी के बर्तनों तथा अन्य सामानों पर यह प्रतीक अंकित करवा लेते हैं।

सिक्कों, करेंसी नोटों व डाक-सामग्रियों पर अंकित राष्ट्र-चिह्न

धन (संपत्ति) की देवी लक्ष्मी बहुधा स्वर्णकमल पर खड़ी चित्रित की जाती हैं।

राष्ट्रीय पुष्प

परंपरागत रूप से भारतीय कवियों ने कमल का प्रयोग नारी के सौंदर्य-वर्णन में किया है। आँखों की कमल पंखुड़ियों से, हाथों की पूर्णरूपेण खिले कमल से तो भुजाओं की सुंदर कमल नाल से उपमा दी गई है।

सौंदर्य, सात्विकता और एकात्मता का प्रतीक कमल भारत का राष्ट्रीय पुष्प है। सरोवरों तथा तालाबों की कीचड़भरी तलहटी में उगनेवाला कमल अपनी सुंदरता अनोखे ढंग से प्रकट करता है।

प्र कमल का स्वरूप कैसा होता है ?

कमल सुगंधित फूल है। इसका रंग सफेद अथवा गुलाबी होता है। इसकी नाल सफेद खोखली तथा सीधी होती है। कमलपत्र पर छोटे-छोटे सघन रोमों का जाल होता है, जिसके कारण उस पर पानी टिक नहीं पाता। पूर्णतया विकसित होने के पश्चात कमल का बीजकोष फव्वारे के शीर्षभाग की भाँति दिखाई देता है।

प्र कमल कब खिलता है ?

कमल को सूर्य का प्रकाश और गर्मी बहुत ही प्रिय है। यह मुख्यत: ग्रीष्म ऋतु में और वर्षा ऋतु के बाद खिलता है। इस बहुप्रशंसित पुष्प का खाद्य के रूप में भी उपयोग होता है। इसकी जड़ें पकाकर खाई जाती हैं। इसके बीज आयुर्वेदिक औषधियाँ बनाने में काम आते हैं।

प्र कमल को बुद्धिमान लोगों का प्रतीक क्यों कहा जाता है ?

कमल हमेशा कीचड़युक्त जल में ही उगता है किंतु विकसित हो जाने पर वह अपने जन्मदाता कीचड़ से अछूता ही रहता है। ठीक इसी प्रकार बुद्धिमान लोग सांसारिक आसक्ति से अप्रभावित रहकर सदाचार का जीवन जीते हैं।

प्र कमल भगवान बुद्ध से कैसे संबद्ध है ?

एक दंतकथा के अनुसार जब राजकुमार सिद्धार्थ का जन्म होनेवाला था तब महारानी ने यह स्वप्न देखा कि सूँड़ में श्वेत कमल लिए हुए एक निष्कलंक सफेद हाथी उनके गर्भाशय में प्रविष्ट हुआ है।

एक दूसरी दंतकथा में वर्णन किया गया है कि जन्म लेने के साथ ही सिद्धार्थ सात कदम चले और उनके प्रत्येक पदचिह्न से कमल के फूल उग आए। इस प्रकार भगवान बुद्ध के जन्म से कमल का संबंध जोड़ा गया।

भगवान बुद्ध प्राय: खिले कमल पर पद्मासन लगाकर बैठे हुए दिखाए जाते हैं।

जगतस्रष्टा भगवान ब्रह्मा संसार के रक्षक भगवान विष्णु के नाभिमूल से उपजे कमल पर विराजमान दर्शाए गए हैं।

भगवान बुद्ध

रवींद्रनाथ ठाकुर को उनकी साहित्यिक कृति 'गीतांजलि' पर अत्यंत प्रतिष्ठाजनक 'नोबेल पुरस्कार' प्राप्त हुआ। इस गौरव से सम्मानित होनेवाले वे प्रथम एशियाई थे।

राष्ट्रगीत

प्रेरणादायी गीत 'जन-गण-मन' के रचयिता महान कवि रवींद्रनाथ ठाकुर हैं। यह भारत का राष्ट्रगीत है। समूचे गीत में पाँच पद हैं; किंतु उसके पहले पद को लेकर ही राष्ट्रगीत का पूर्ण स्वरूप निर्मित किया गया है। यह सभी महत्त्वपूर्ण राष्ट्रीय सुअवसरों पर गाया जाता है।

प्र 'जन-गण-मन' गीत किस प्रकार राष्ट्रगीत बना ?

१५ अगस्त, १९४७ को स्वाधीनताप्राप्ति के बाद शीघ्र ही स्पष्ट हो गया कि 'गॉड सेव द किंग' गीत एक स्वतंत्र देश के लिए अनुपयुक्त था। भारत को स्वत: के राष्ट्रगीत की आवश्यकता थी।१९४७ में जब भारत का एक शिष्टमंडल 'राष्ट्रसंघ' (यूनाइटेड नेशन्स) गया हुआ था, तब उससे एक विशिष्ट अवसर पर प्रस्तुत करने के लिए भारत के राष्ट्रगीत के बारे में पूछा गया। चूँकि उस समय भारत का कोई अधिकृत राष्ट्रगीत नहीं था, इसलिए 'जन-गण-मन' की ध्वनिमुद्रिका सौंप दी गई। जब यह गीत राष्ट्रसंघ (UN) के वाद्यवृंद द्वारा बजाया गया, तब सभी लोगों ने इस गीत की मुक्तकंठ से प्रशंसा की। बाद में २४ जनवरी, १९५० को 'जन-गण-मन' राष्ट्रगीत के रूप में अंगीकार कर लिया गया।

प्र राष्ट्रगीत का मूल शीर्षक क्या था ?

यह गीत सर्वप्रथम बँगला भाषा में 'भारत विधाता' शीर्षक से रवींद्रनाथ ठाकुर द्वारा संपादित 'तत्त्व बोधिनी' मासिक पत्रिका में प्रकाशित हुआ था। 'द मॉर्निंग साँग ऑफ इंडिया' शीर्षक से कवि ने स्वयं इसका अँग्रेजी भाषा में अनुवाद किया था।

प्र राष्ट्रगीत गाने में कितना समय लगता है ?

संपूर्ण राष्ट्रगीत प्रस्तुत करने में कुल ५२ सेकंड का समय लगता है। किसी भी परिस्थिति में इसे एक मिनट से अधिक समय तक नहीं प्रस्तुत करना चाहिए। कतिपय अवसरों पर पद की केवल प्रथम तथा अंतिम पंक्तियों की समवेत धुन २० सेकंड की अवधि तक बजाई जाती है। जब भी राष्ट्रगीत प्रस्तुत किया जाता है, लोगों को इसके सम्मान में खड़े रहना चाहिए।

प्र राष्ट्रगीत कब प्रस्तुत किया जाता है ?

प्रतिवर्ष गणतंत्र दिवस (२६ जनवरी) तथा स्वतंत्रता दिवस (१५ अगस्त) के अवसर पर राष्ट्रध्वजोत्तोलन करते समय राष्ट्रगीत प्रस्तुत किया जाता है। भारतीय गणराज्य के राष्ट्रपति, राज्यों के राज्यपाल तथा विदेशी राष्ट्रप्रमुखों को राष्ट्रीय सलामी देने के अवसरों पर तथा क्रीड़ा, सांस्कृतिक एवं शैक्षणिक क्षेत्रों के सभी समारोहों में राष्ट्रगीत प्रस्तुत किया जाता है।

जन-गण-मन

जन-गण-मन-अधिनायक जय हे भारत-भाग्यविधाता।
पंजाब सिंधु गुजरात मराठा द्राविड उत्कल वंगा ॥
विंध्य हिमाचल यमुना गंगा उच्छल जलधितरंगा।
तव शुभ नामे जागे। तव शुभ आशिस मागे।
गाहे तव जय गाथा ॥
जनगणमंगलदायक जय हे भारत-भाग्यविधाता।
जय हे, जय हे, जय हे, जय जय जय जय हे ॥

महा कवि रवींद्रनाथ ठाकुर द्वारा किए गए राष्ट्रगीत के अँग्रेजी अनुवाद का हिंदी रूपांतर

हे जन-गन-मन के अधिनायक, भारत के भाग्य-विधाता, तेरी जय हो!

तेरा नाम पंजाब-सिंध-गुजरात-मराठा-द्रविड़-उत्कल एवं वंग भूमि के हृदय को जागृत कर देता है!

यह विंध्य एवं हिमालय की उपत्यकाओं में प्रतिध्वनित होता है, यमुना और गंगा के कल-कल ध्वनि रूपी संगीत में गूँजता है तथा जलधि की उत्ताल तरंगों द्वारा गुनगुनाया जाता है।

वे तेरे पावन नाम से जागृत होते हैं, तेरा शुभाशीष माँगते हैं तथा तेरी जयगाथा गाते हैं।

हे भारत के भाग्य-विधाता, तू जन-गण के लिए मंगलदायक है। तेरी जय हो, जय हो, जय हो!

बंकिमचंद्र चटर्जी (१८३०–१८९५) बँगला भाषा के प्रख्यात कवि तथा उपन्यासकार थे। 'आनंदमठ' के अतिरिक्त 'दुर्गेशनंदिनी' और 'कपालकुंडला' उनके सुप्रसिद्ध उपन्यास हैं।

३३

राष्ट्रीय गान

'वंदे मातरम्' भारत का राष्ट्रीय गान है। बंकिमचंद्र चटर्जी ने इसकी रचना की थी, रवींद्रनाथ ठाकुर ने इसे संगीतबद्ध किया था और अरविंद घोष ने इसका अँग्रेजी भाषा में अनुवाद किया था। इस प्रकार भारत के तीन महान मनीषियों के सहयोग से इस गान की प्रस्तुति हुई है।

प्र 'वंदे मातरम्' का क्या अभिप्राय (अर्थ) है ?

'वंदे' का अर्थ 'वंदना करता हूँ' और 'मातरम्' का अभिप्राय 'हे माता या हे मातृभूमि' है। अतः 'वंदे मातरम्' का अर्थ है, 'हे मातृभूमि, मैं तुम्हारी वंदना करता हूँ।' भारतीय स्वातंत्र्यसंघर्ष में नारे के रूप में ये दो शब्द अत्यंत प्रभावशाली सिद्ध हुए।

वंदे मातरम
वंदे मातरम्!
सुजलाम् सुफलाम् मलयज शीतलाम्
सस्य श्यामलाम्, मातरम्!
शुभ्रज्योत्स्नाम् पुलकितयामिनीम्
फुल्लकुसुमित द्रुमदलशोभिनीम्
सुहासिनीम्, सुमधुरभाषिणीम्
सुखदाम्, वरदाम्, मातरम्!

वंदे मातरम
(श्री अरविंद घोषकृत अँग्रेजी अनुवाद का हिन्दी रूपांतर)
हे मातृभूमि! तेरा वंदन।
तू सुजला है, तू सुफला है।
तू मलयसमीरशीतला है ॥
हे शस्यश्यामला मातृभूमि!
तेरी रजनी है शुभ्रज्योत्स्ना से पुलकित।
तू पुष्प प्रफुल्लित द्रुमदल से है शोभित ॥
तू सुहासिनी, मृदुभाषिणी।
तू सुखदायिनी, तू वरदायिनी ॥
हे मातृभूमि! तेरा वंदन ॥

प्र 'वंदे मातरम्' गीत पहली बार कहाँ गाया गया था ?

'वंदे मातरम्' गीत बंकिमचंद्र के बँगला भाषा के उपन्यास 'आनंदमठ' में प्रकाशित किया गया था। सन् १८९६ की राष्ट्रीय सभा में यह पहली बार प्रस्तुत किया गया। तत्काल ही इस गीत को भारत की ऋचा के रूप में शाश्वत लोकप्रियता मिली और यह जनता की एकता और सामर्थ्य का प्रबल द्योतक बन गया।

प्र 'वंदे मातरम्' को राष्ट्रगीत के रूप में क्यों अंगीकार नहीं किया गया ?

'वंदे मातरम्' गीत को 'जन-गण-मन' जैसी ही प्रतिष्ठा प्राप्त है। फिर भी, वह राष्ट्रगीत नहीं बन सका। इसका कारण यह था कि विशेषज्ञों के मतानुसार यह गीत एकात्मता उत्पन्न करने की दृष्टि से 'जन-गण-मन' जितना उपयोगी नहीं था।

राष्ट्रीय जनजागरण के युग में राष्ट्रीय अस्मिता के परिचायक अनेक गीत लिखे गए। उनमें से सर मोहम्मद इकबाल (१८७६–१९३८) रचित 'सारे जहाँ से अच्छा हिंदोस्ताँ हमारा' गीत अत्यंत लोकप्रिय हुआ और आज भी यह गीत बड़ी श्रद्धा से गाया जाता है।

जिम कॉर्बेट की जन्मशताब्दी की स्मृति में भारतीय डाक तथा तार विभाग ने २४ जनवरी, १९७६ को एक डाक टिकट जारी किया।

राष्ट्रीय पशु

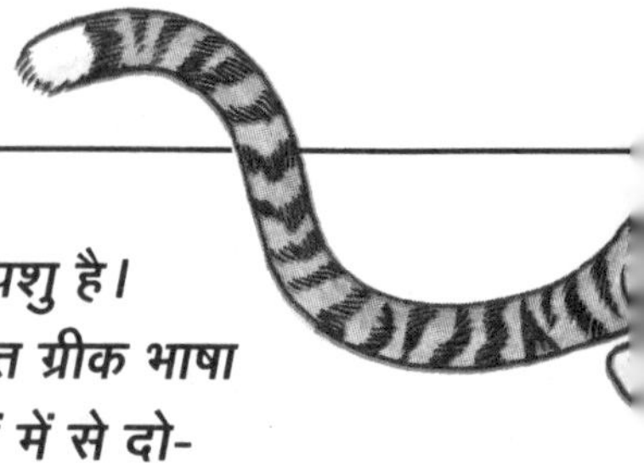

***मा**र्जार जाति का सबसे बड़ा सदस्य शानदार बाघ भारत का राष्ट्रीय पशु है। यह 'शक्ति' और 'गति' का प्रतीक है। वास्तव में 'टाइगर' शब्द की व्युत्पत्ति ग्रीक भाषा में बाण के लिए प्रयुक्त शब्द से हुई है। समूचे विश्व में पाए जानेवाले बाघों में से दो-तिहाई बाघ अकेले भारत में पाए जाते हैं। स्वतंत्र रूप से विचरण करनेवाले बाघ केवल एशिया में ही पाए जाते हैं। सन् १९७२ में बाघ को राष्ट्रीय पशु चुना गया। इसके पहले यह सम्मान सिंह को दिया गया था।*

प्र व्याघ्र-प्रकल्प ('प्रोजक्ट टायगर') का क्या तात्पर्य है?

एक समय बाघ का शिकार करना भारतीय राजाओं के लिए प्रतिष्ठापूर्ण खेल माना जाता था। भारत आनेवाले महत्त्वपूर्ण विदेशी अतिथियों को भी बाघ के शिकार के लिए साग्रह ले जाया जाता था। अन्य भारतीय शिकारी भी बाघ की बहुमूल्य खाल तथा हड्डियों के लिए उसका शिकार करते थे। अंधाधुंध शिकार के परिणामस्वरूप बाघों की संख्या में ह्रास होना शुरू हुआ और केवल ५० वर्षों में उनकी संख्या ४०,००० से घटकर मात्र १,८१४ रह गई। अत: 'विश्व वन्य जीवन निधि' (WWF) की सहायता से बाघों के संरक्षण के लिए 'व्याघ्र-प्रकल्प' ('प्रोजेक्ट टाइगर') नामक राष्ट्रीय योजना प्रारंभ की गई। लोगों की लालच तथा क्रूरता से बाघों को सुरक्षा प्रदान करने के लिए कुछ भूभाग 'बाघों के लिए संरक्षित क्षेत्र' घोषित कर दिए गए हैं, जहाँ वे निर्भयतापूर्वक अपनी नैसर्गिक अवस्था में रह सकते हैं।

प्र बाघों की गिनती कैसे की जाती है?

बाघों की गणना मनुष्यों की गणना की भाँति सरल नहीं है। सौभाग्यवश, जिस प्रकार अलग-अलग व्यक्तियों की उँगलियों के निशान अलग-अलग होते हैं उसी प्रकार बाघों के पंजों के निशान भी भिन्न-भिन्न होते हैं। अत: बाघों की गिनती करनेवाले कर्मचारी बड़ी सावधानी से अलग-अलग जंगलों में जलाशयों के आसपास पड़े बाघों के पंजों के निशान गिन लेते हैं। इस प्रकार की गणना द्वारा हमें बाघों की संख्या-संबंधी जानकारी मिलती है।

बाघ के पंजों के निशान (पगमार्क्स)

प्र पश्चिम बंगाल के 'सुंदरबन राष्ट्रीय उद्यान' के बाघ अनोखे किस प्रकार हैं?

सुंदरबन के सुंदरी वृक्षों के वनों में रहनेवाला भारतीय बाघ 'राजसी बंगाली बाघ' (रॉयल बंगाल टाइगर) के नाम से विख्यात है। अन्य बाघों से अलग यहाँ का बाघ स्थल तथा जल, दोनों में रह सकता है। वह अपना अधिक से अधिक समय खारे पानी में बिताता है। सुंदरबन संसार का सबसे बड़ा 'व्याघ्र-अभयारण्य' है।

राजसी बंगाली बाघ

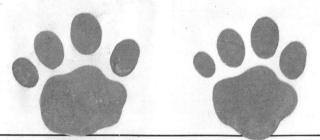

ऐसा माना जाता है कि हड्डियों तथा खाल के लिए प्रतिदिन एक बाघ की हत्या की जाती है। बाघ की हड्डियाँ दवा बनाने के काम आती हैं और उसकी खाल का इस्तेमाल सजावट की वस्तु के रूप में किया जाता है।

प्र क्या 'सफेद बाघ' अस्तित्व में हैं ?

अनेक वर्षों से भारत में 'सफेद बाघ' पाए जाने की अफवाह सुनी जाती थी। सन् १९५१ में मध्य प्रदेश में रेवा के जंगलों में शिकारियों के एक दल ने बाघ के चार बच्चे पकड़े, जिनमें से एक सफेद था। बाघ का यह सफेद नर बच्चा बड़ा होकर सफेद बाघ बना। यह सफेद बाघ बाद में अनेक सफेद बाघों का पिता बना। आज भारत तथा विदेशों में जितने भी सफेद बाघ पाए जाते हैं, वे सभी सन् १९५१ में मिले उस सफेद बाघ के बच्चे के वंशज हैं।

उड़ीसा का 'नंदन कानन' संसार में सफेद बाघों का पहला विहार-स्थल ('टाइगर सफारी') है।

पांढरा बाघ

प्र बाघ नरभक्षक क्यों बनता है ?

नियमत: बाघ मनुष्यों का शिकार नहीं करता। वह मनुष्यों पर तभी आक्रमण करता है, जब वह घायल हो जाता है अथवा इतना बूढ़ा हो जाता है कि जंगली जानवरों का शिकार करने में असमर्थ हो जाता है। किंतु, यदि एक बार वह आदमी का खून चख लेता है, तो खतरनाक नरभक्षी बन जाता है। बाघवाले जंगलों के निकटवर्ती क्षेत्रों के निवासियों को निरंतर बाघ के आक्रमण का भय बना रहता है।

प्र जिम कॉर्बेट कौन थे ? उनके नाम पर राष्ट्रीय उद्यान का नाम क्यों रखा गया ?

जिम कॉर्बेट के नाम से विख्यात एडवर्ड जेम्स कॉर्बेट वन्य जीवन के बड़े प्रेमी थे। फिर भी, जब गढ़वाल क्षेत्र में बाघ नरभक्षी हो गए, तब उन्होंने उन्हें खोज निकालने और गोली मार देने का खतरनाक बीड़ा उठाया। कहा जाता है कि कॉर्बेट ने १२ नरभक्षी बाघों को मार डाला। इन बाघों ने १५०० से अधिक लोगों को मार डाला था। उनके प्रयासों से उत्तर प्रदेश में, सन् १९३६ में 'हेली नेशनल पार्क' नामक क्रीड़ा-अभयारण्य की स्थापना हुई। बाद में उनकी महती सेवाओं की स्मृति में इस उद्यान का नाम बदलकर 'कॉर्बेट नेशनल पार्क' रखा गया। 'व्याघ्र-प्रकल्प' ('Project Tiger') योजना की परिधि में आनेवाला यह पहला अभयारण्य है।

जिम कॉर्बेट

36

भगवान कृष्ण ने अपने मुकुट में मोर पंख धारण करके मोर को गरिमा और प्रतिष्ठा प्रदान की।

मोर युद्ध के देवता स्कंद अथवा कार्तिकेय का वाहन है।

राष्ट्रीय पक्षी

सौंदर्यशाली मोर भारत का राष्ट्रीय पक्षी है। इसे संस्कृत में 'मयूर' अथवा 'नीलकंठ' कहा जाता है। भारत में मोर सदैव अतुलनीय प्रतिष्ठा एवं सम्मान पाता रहा है।

प्र संस्कृत में मोर को 'सहस्राक्ष पक्षी' क्यों कहा जाता है ?

अपनी लंबी नीली गर्दन, पंखाकार कलँगी और भव्य पंखोंवाली पूँछ के कारण मोर नरपक्षियों में कदाचित सबसे सुंदर पक्षी है। उसके प्रत्येक पंख की छोर पर अर्ध चंद्राकार आँख होती है। ऊपर उठाने पर पूँछ पंखे की भाँति फैल जाती है और उसमें से हजारों आँखें निहारती-सी दिखाई देती हैं। इसके विपरीत मोरनी मोर की अपेक्षा छोटे आकारवाली, छोटी पूँछवाली तथा भद्दी (कुरूप) होती है।

प्र मोर क्यों नाचता है ?

मोर, यद्यपि लज्जालु पक्षी है, फिर भी प्रणय निवेदन करते समय मोरनियों के समक्ष नृत्य करता है। इस अवसर पर वह अपने रंगबिरंगे पंख फैलाकर उनके सामने बड़ी शान से थिरकता है। दीर्घकालीन ग्रीष्म ऋतु के बाद

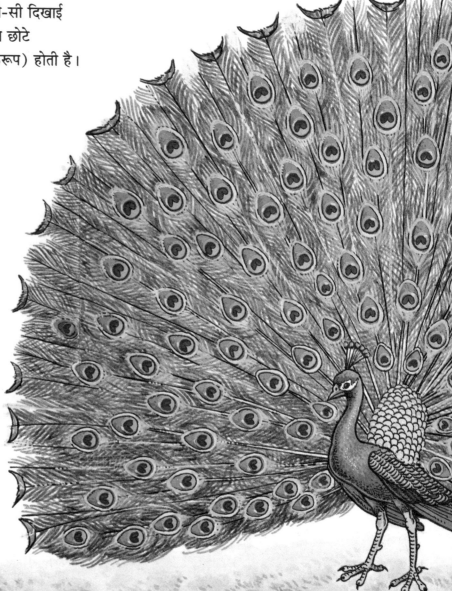

☐ सिकंदर महान मोर को देखकर इतना मुग्ध हुआ था कि ग्रीस लौटते समय वह अपने साथ भारत से अनेक मोर ले गया।

☐ मुगल बादशाह शाहजहाँ का सिंहासन 'मयूर सिंहासन' के नाम से प्रसिद्ध था, क्योंकि उस पर रत्नजटित मयूर बने थे। आक्रमणकारी नादिरशाह यह अद्भुत खजाना ईरान उठा ले गया।

☐ मोर वर्ष में एक बार अपनी पूँछ के सारे पंख गिरा देते हैं। उनकी जगह फिर से नए पंख उग आते हैं। लोग इन पुराने पंखों को सावधानी से इकट्ठा कर लेते हैं और बाद में उनसे सुंदर पंखे तथा सजावट की अन्य वस्तुएँ बनाते हैं।

कभी-कभी विद्या की देवी सरस्वती को मोर पर आरूढ़ दिखाया जाता हैं।

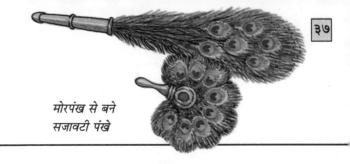

मोरपंख से बने सजावटी पंखे

काले-काले बादलों को देखकर आनेवाली वर्षा-ऋतु का स्वागत करने के लिए मोर अपने पंख फैलाकर नाचने लगता है। मोर की इस राजसी चालढाल के कारण ही 'मोर-सा अभिमानी' अथवा 'मोर-सा घमंडी' कहावत प्रचलिए हुई है।

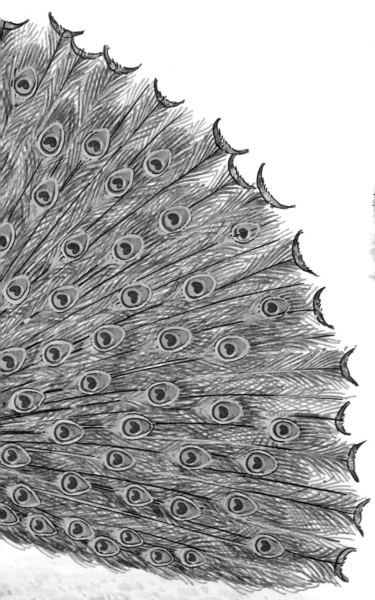

प्र **सफेद मोर कहाँ पाए जाते हैं ?**

सफेद मोर अत्यंत दुर्लभ हैं। ये केवल असम के जंगलों में पाए जाते हैं। कुछ चिड़ियाघरों में भी सफेद मोर होते हैं।

सफेद मोर

प्र **भारत के किस सम्राट ने मोरों के शिकार पर प्रतिबंध लगा दिया था ?**

ई. पूर्व २६० में कलिंग़ के रक्तरंजित युद्ध के पश्चात दयार्द्र होकर सम्राट अशोक ने बौद्ध धर्म स्वीकार कर लिया। अहिंसा उनके जीवन का महत्त्वपूर्ण सिद्धांत बन गया। उन्होंने राजकीय भोजनालय के लिए प्रतिदिन मारे जानेवाले मोरों के वध पर पूर्णत: रोक लगा दी।

गुजरात और राजस्थान में मोर पवित्र और आदरणीय माने जाते हैं। वहाँ इनके झुंड के झुंड अनाज तथा वनस्पति के अंकुरों की खोज में गाँव-गाँव घूमते-फिरते दिखाई पड़ते हैं।

जयपुर वेधशाला में संगतराशीयंत्र 'धूपघड़ी'

राष्ट्रीय पंचांग

***भा**रत का राष्ट्रीय पंचांग शक-संवत्सर पर आधारित है। इसमें सामान्यतया ३६५ दिनों का एक वर्ष होता है। इस पंचांग में चैत्र शुक्ल प्रतिपदा (२२ मार्च) से नया वर्ष प्रारंभ होता है। महीनों के नाम इस प्रकार है : चैत्र, वैशाख, ज्येष्ठ, आषाढ़, श्रावण, भाद्रपद, आश्विन, कार्तिक, मार्गशीर्ष, पौष, माघ और फाल्गुन।*

प्र राष्ट्रीय पंचांग तथा ग्रेगॉरियन पंचांग में किस प्रकार संगति स्थापित की गई है ?

संसार के सभी राष्ट्र ग्रेगॉरियन पंचांग का प्रयोग करते हैं। इसलिए अन्तरराष्ट्रीय पंचांग तथा राष्ट्रीय पंचांग की तिथियों में मेल बनाए रखने के लिए यह निश्चित किया गया है कि चैत्र शुक्ल १ (प्रतिपदा) प्रत्येक सामान्य वर्ष में २२ मार्च को और लीप वर्ष में २१ मार्च को पड़ेगी।

प्र ग्रेगॉरियन पंचांग की अपेक्षा राष्ट्रीय पंचांग कितने वर्ष पीछे है ?

राष्ट्रीय पंचांग २२ मार्च, १९५७ को लागू किया गया था। इस दिनांक की संगत तिथि चैत्र शुक्ल १, (प्रतिपदा) शक संवत १८७९ थी। इस प्रकार राष्ट्रीय पंचांग ग्रेगॉरियन पंचांग से ७८ वर्ष पीछे है।

प्र शक संवत्सर क्या है ?

प्राचीन काल से विविध रूपों में समय को मापने तथा अंकित करने के प्रयास किए गए हैं। अपने देश में अनेक प्रकार के संवत्सरों तथा पंचांगों का उपयोग होता रहा है। शक संवत्सर उनमें से एक है। किसी शक कुषाण राजा, कदाचित कनिष्क ने 'शक संवत्सर' की शुरुआत की थी। उसने अपनी सत्ता तथा वैभव प्रदर्शित करने के लिए ७८ ई. में यह संवत्सर प्रारंभ किया था।

सम्राट कनिष्क

प्र चांद्रमास क्या है ?

चांद्रमास का तात्पर्य उस कालावधि से है जिसमें चंद्रमा पृथ्वी की एक प्रदक्षिणा पूर्ण करलेता है। चांद्रमास में एक प्रतिपदा से दूसरी प्रतिपदा तक के २९$\frac{1}{2}$ दिनों का समावेश होता है। इस प्रकार १२ चांद्रमासों में सिर्फ ३५४ दिन होते हैं। फलतः चांद्रवर्ष में सौरवर्ष की अपेक्षा लगभग ११ दिन कम होते हैं। मुसलमान पूर्णतः चांद्रवर्ष का अनुसरण करते हैं। उनके उपवास का त्योहार रमजान अंतरराष्ट्रीय पंचांग के किसी भी महीने में आ सकता है।

प्र हिंदू पंचांग क्या है ?

बहुसंख्यक भारतीय लोग चांद्र-सौर पंचांग पर आधारित पारंपरिक हिंदू पंचांग का अनुसरण करते हैं। उनके सभी त्योहार, शादी-ब्याह तथा अन्य शुभ कार्य इसी पंचांग के अनुसार संपन्न किए जाते हैं। चांद्र तथा सौर वर्ष में, प्रति

श्री शालिवाहन शके १९१९ ईश्वर नामसंवत्सरे पौष कृष्ण पक्षः जानेवारी इ. स. उत्तरायणे दक्षिणायने हेमंत ऋतुः

ति	वा	क	मि	नक्षत्र	क	मि	यो	क	मि	क	क	मि	दि	र.उ	र.अ	भा	पा	मु	इं	चंद्रः	प्रा.स्प.र.
१	मं	२३	१९	पुनर्वसु	०७	५५	वि	२७	२२	बा	११	०२	[illegible]	[illegible]	[illegible]	२३	२५	१४	१३	कर्क	[illegible]
२	बु	२४	२१	पुष्य	०९	०७	प्री	२७	०३	तै	११	४६	[illegible]	[illegible]	[illegible]	२४	२६	१५	१४	कर्क	[illegible]
३	गु	२५	५७	आश्लेषा	१०	५४	आ	२७	११	व	१३	०५	[illegible]	[illegible]	[illegible]	२५	२७	१६	१५	नं. सिंह	[illegible]
४	शु	२८	०४	मघा	१३	१२	सौ	२७	४१	ब	१४	५७	[illegible]	[illegible]	[illegible]	२६	२८	१७	१६	सिंह	[illegible]
५	श	३०	३५	पूर्वाफाल्गुनी	१५	५७	शो	२८	३०	कौ	१७	१८	[illegible]	[illegible]	[illegible]	२७	२९	१८	१७	नं. कन्या	[illegible]
६	र	अहो	रात्र	उत्तराफाल्गुनी	१९	००	अ	२९	२७	ग	१९	५६	[illegible]	[illegible]	[illegible]	२८	३०	१९	१८	कन्या	[illegible]
६	सो	०९	१८	हस्त	२२	०६	सु	३०	२३	वि	२२	३८	[illegible]	[illegible]	[illegible]	२९	१	२०	१९	कन्या	[illegible]
७	मं	११	५६	चित्रा	२५	०२	धृ	३१	०७	बा	२५	०८	[illegible]	[illegible]	[illegible]	३०	२	२१	२०	नं. तुला	[illegible]
८	बु	१४	१४	स्वाती	२७	३३	शू	अहो	रात्र	तै	२७	१२	[illegible]	[illegible]	[illegible]	१	३	२२	२१	तुला	[illegible]
९	गु	१६	०१	विशाखा	२९	२८	शू	०७	२८	व	२८	३८	[illegible]	[illegible]	[illegible]	२	४	२३	२२	नं. वृश्चिक	[illegible]
१०	शु	१७	०५	अनुराधा	३०	४०	गं वृ	०७ ३०	२१ ४०	ब	२९	१९	[illegible]	[illegible]	[illegible]	३	५	२४	२३	वृश्चिक	[illegible]
११	श	१७	२२	ज्येष्ठा	३१	०६	ध्रु	२९	२०	कौ	२९	१२	[illegible]	[illegible]	[illegible]	४	६	२५	२४	नं. धनु	[illegible]
१२	र	१६	५१	मूळ	३०	४७	व्या	२७	२६	ग	२८	१९	[illegible]	[illegible]	[illegible]	५	७	२६	२५	धनु	[illegible]
१३	सो	१५	३८	पूर्वाषाढा	२९	५०	ह	२४	५९	वि	२६	४६	[illegible]	[illegible]	[illegible]	६	८	२७	२६	धनु	[illegible]
१४	मं	१३	४७	उत्तराषाढा	२८	२१	व	२२	०७	च	२४	४१	[illegible]	[illegible]	[illegible]	७	९	२८	२७	नं. मकर	[illegible]
३०	बु	११	२९	श्रवण	२६	३०	सि	२८	५४	किं	२२	१२	[illegible]	[illegible]	[illegible]	८	१०	२९	२८	मकर	[illegible]

ांश २३/४९/४३

पौष अमावास्या
बुधवार ता. २८.१.९८
पहाटे ५.३० चे स्पष्ट ग्रह

र	चं	मं	बु	गु	शु	श	रा
०९	०९	१०	०८	१०	०८	११	०४
१४	१०	०८	२७	०४	२६	२१	१८
०१	४०	१३	२१	२६	१३	१५	२८
२०	१९	-	-	-	अ/उ	-	-
६०	१०३	४८	९०	१४	२०	०४	०३
५९	४५	मा	मा	मा	व	मा	११

सूर्योदयकालीन कुंडली

● पुण्यकाल सकाळी $\frac{१०}{४६}$ पासून सूर्यास्तापर्यंत $\frac{१०}{४६}$ ते $\frac{१२}{४६}$ पर्यंत विशेष पुण्यकारक) भगवान्बाबा पु. ति. प्रयागस्नानारंभः दा

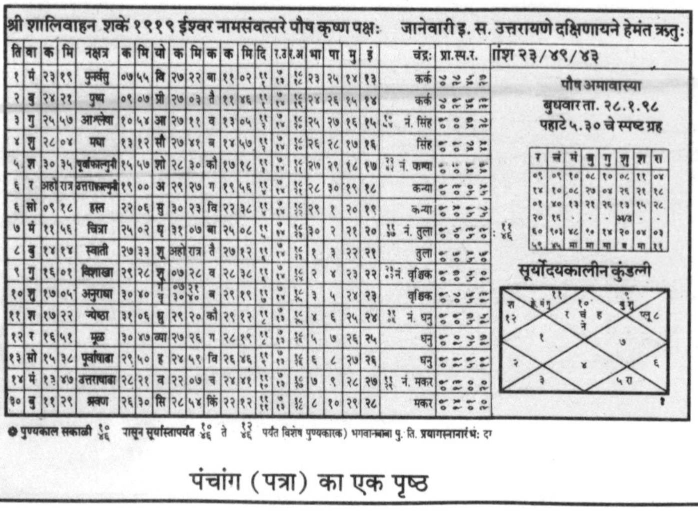

पंचांग (पत्रा) का एक पृष्ठ

वर्ष पड़नेवाला ११ दिनों का अंतर प्रति तीन वर्षों के अंतराल में समंजस कर लिया जाता है। अर्थात प्रति तीन वर्ष बाद एक अधिक मास गिना जाता है। कदाचित भारतीयों ने ही सर्वप्रथम चान्द्र-सौर पंचांग का विकास और उपयोग किया।

प्र पंचांग (पत्रा) क्या है ?

पंचांग (पाँच अंग) वह पुस्तक है, जिसमें ज्योतिष-विषयक जानकारी एवं गणना के साथ महीनों, दिनों, उत्सवों, शुभ अवसरों (मुहूर्तों) तथा अन्य उपयोगी बातों की जानकारी देनेवाली सारणियाँ होती हैं।

प्रति वर्ष जयपुर की वेधशाला में भारत भर के ज्योतिषी एकत्र होते है और सवाई राजा जयसिंह द्वारा लगभग २५० वर्ष पहले बनवाए गए विविध उपकरणों की सहायता से पंचांग तैयार करते हैं। भारत के अधिकतर लोग आज भी पारंपरिक हिंदू पंचांग और पत्रे का उपयोग करते हैं। किंतु पंचांग (पत्रा) बहुत जटिल होता है; इसलिए सामान्य लोग त्योहार, लग्न तथा अन्य शुभ कार्यों के मुहूर्त निश्चित करने के लिए पुरोहितों के पास जाते हैं।

प्र ‘पंचांग’ नाम क्यों रखा गया ?

सूर्य, पृथ्वी तथा चंद्रमा की गतियों के कारण काल के पाँच अंग माने गए हैं। ये अंग क्रमश: तिथि, वार, नक्षत्र, योग तथा करण हैं। पंचांग में दिवसानुसार इन पाँच अंगों का विवरण दिया रहता है। इसलिए ‘पंचांग’ नाम रखा गया।

प्र भारतीय मानक समय क्या है ?

प्राचीन काल में लोग सूर्य की स्थिति के आधार पर समय दिखानेवाली धूपघड़ी की सहायता से समय की गणना करते थे। किंतु २४ घंटों में एक बार पृथ्वी स्वयं अपने चारों ओर एक चक्कर लगा लेती है; इसलिए भूपृष्ठ पर स्थित अलग-अलग स्थान अलग-अलग समय पर सूर्य के सम्मुख आते हैं। अत: उनका स्थानीय समय बदलता रहता है। भारत के सुदूरतम पूर्वी तथा पश्चिमी भागों के स्थानीय समय में लगभग ३०° देशांतर अर्थात दो घंटों का अंतर पड़ जाता है। इसलिए संपूर्ण भारत के लिए ८२½° पूर्व देशांतर रेखा पर स्थित इलाहाबाद के निकट का स्थानीय समय भारतीय मानक समय के रूप में मान्य किया गया है। भारतीय रेल, डाक-तार विभाग, आकाशवाणी (AIR) आदि में इसी अधिकृत मानक समय का उपयोग किया जाता है।

प्र भारतीय मानक समय ग्रीनिच के स्थानीय समय से कितना आगे है ?

भारतीय मानक समय (IST) ग्रीनिच के स्थानीय समय (GMT) से ५ घंटे ३० मिनट आगे है। ग्रीनिच लंदन (इंग्लैंड) का एक उपनगर है। इस जगह का स्थानीय समय विश्व के अधिकांश भागों के समय-निर्धारण के लिए आधारभूत माना गया है। इसके लिए समय-कटिबंधों (‘टाइम-ज़ोन’) की व्यवस्था की गई है। दिन और रात के प्रत्येक घंटे के लिए २४ कटिबंध बनाए गए हैं। पूर्व में स्थित १२ कटिबंध ग्रीनिच के समय से आगे तथा पश्चिम की ओर के १२ कटिबंध ग्रीनिच के समय से पीछे हैं।

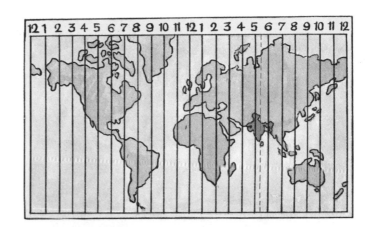

पाकिस्तान का मानक समय भारतीय मानक समय से आधा घंटा पीछे है, जबकि बाँग्लादेश का मानक समय भारतीय मानक समय से आधा घंटा आगे है।

पाकिस्तान	भारत	बाँग्लादेश
५-३० सायं	६-०० सायं	६-३० सायं

राष्ट्रीय दिवस
गणतंत्र दिवस

'**ग**णतंत्र दिवस' भारत का सबसे महत्त्वपूर्ण राष्ट्रीय समारोह है। यह प्रतिवर्ष २६ जनवरी को सारे देश में बड़ी धूमधाम से मनाया जाता है। राजधानी दिल्ली में यह समारोह सर्वाधिक दर्शनीय होता है। वहाँ यह दिवस शानदार परेड तथा भव्य प्रदर्शन के साथ मनाया जाता है। इस मनमोहक आनंदोत्सव को देखने के लिए वहाँ बड़ी संख्या में लोग उपस्थित रहते हैं। यह शानदार परेड एवं शोभायात्रा राष्ट्रपति भवन से प्रारंभ होकर शहर के प्रमुख मार्गों से होती हुई पुरानी दिल्ली के ऐतिहासिक लाल किले तक जाती है।

प्र २६ जनवरी का क्या महत्त्व है ?

२६ जनवरी भारत के लिए एक विशिष्ट दिवस है, क्योंकि १९५० में इसी दिन भारत लिखित संविधान तथा निर्वाचित संसदवाला 'सर्व प्रभुत्व संपन्न जनतंत्रात्मक गणतंत्र' बना था। यह दिवस भारतीयों में स्वाभिमान तथा आत्मविश्वास की भावना जागृत करता है।

प्र राजाओं-महाराजाओं का देश (भारत) जनतांत्रिक गणराज्य कैसे बना ?

स्वतंत्रता-प्राप्ति के समय यद्यपि भारत ब्रिटिश शासन के अंतर्गत था, फिर भी यहाँ छोटी-मोटी ५६५ रियासतें थीं। इन रियासतों पर शक्तिशाली राजाओं-महाराजाओं का शासन था। ये स्वतंत्र, सार्वभौम रियासतें अँग्रेजी शासन के साथ हुई संधियों द्वारा सुरक्षित थीं। इन रियासतों को भारतीय संघ में विलीन किए बिना देश की मूलभूत एकता की स्थापना असंभव थी। रियासतों के विलीनीकरण का यह कार्य सरदार वल्लभभाई पटेल ने किया। उनकी कूटनीति के फलस्वरूप बिना किसी कटुता तथा संघर्ष के सभी देशी रियासतें एकत्र हुईं और भारत एक राष्ट्र बना। दो वर्ष से भी कम समय में ये सभी रियासतें भारतीय संघ का अविभाज्य अंग बन गईं।

प्र गणतंत्र दिवस की पहली सैनिक परेड कहाँ हुई थी ?

गणतंत्र दिवस की पहली सैनिक परेड सन् १९५० में इर्विन स्टेडियम (आज का राष्ट्रीय क्रीड़ास्थल) पर हुई थी। उस समय समाचारपत्रों में छपा था, 'राष्ट्रपति प्रातःकाल अपने पद की शपथ लेंगे। अपराह्न २-३० बजे इर्विन स्टेडियम पर राष्ट्रीय शोभायात्रा के साथ उनका आगमन होगा... राष्ट्रपति द्वारा राष्ट्रध्वजोत्तोलन और सैन्यदल की तीनों शाखाओं की टुकड़ियों द्वारा परेड. इस समारोह के मुख्य आकर्षण होंगे...।'

सन् १९५२ से यह सैनिक परेड अपराह्न के बदले सुबह होने लगी है और इर्विन स्टेडियम (राष्ट्रीय क्रीड़ास्थल) तक ही सीमित नहीं रहती।

प्र गणतंत्र दिवस पर सैनिक परेड क्यों होती है ?

भारत में सैनिक परेड के साथ समारोह मनाने की प्रथा अँग्रेजों की देन है। यह परेड समारोह मनाने तथा राष्ट्रीय गौरव प्रदर्शित करने के लिए की जाती थी। पहले गणतंत्र दिवस का समारोह छोटा और सीधा-सादा होता था, अब यह आयोजन अत्यंत आकर्षक और दर्शनीय बन चला है। इसमें बख्तरबंद गाड़ियों और सैनिक बैंड के साथ सैन्यदलों की टुकड़ियाँ शानदार परेड करती हुई जाती हैं। उनके साथ सुसज्जित टैंक तथा गाड़ियों पर तैनात तोपें भी रहती हैं। उनके पीछे भारत के विभिन्न राज्यों का प्रतिनिधित्व करनेवाली सुंदर झाँकियों से सुशोभित रथ और भारत के विविध प्रांतों के लोकनृत्य प्रस्तुत करनेवाले कलाकार रहते हैं। भारतीय वायुसेना द्वारा आकाश में प्रदर्शन इस परेड का प्रमुख आकर्षण होता है।

प्र गणतंत्र दिवस समारोह का समापन कैसे होता है ?

तीन दिनों के बाद २९ जनवरी की शाम को 'बीटिंग द रिट्रीट' नामक समापन समारोह होता है। पुराने जमाने में सूर्यास्त होने से पहले राष्ट्रध्वज को सम्मानपूर्वक उतारने तथा सैनिकों को बैरकों में लौट जाने का संदेश देने के लिए बैंडपथक रास्तों पर विशिष्ट धुन बजाया करते थे। इस अवसर पर इस पुरानी सैनिक परंपरा को अनोखे ढंग से प्रस्तुत किया जाता है। तीनों सैन्यदलों के कुल २० अथवा अधिक बैंड पथक बनाए जाते हैं, जो धुनें बजाते चलते हैं। किंतु इतने से ही समापन समारोह का अंत नहीं हो जाता। महात्मा गांधी के प्रिय करुण गीत 'एबाइड विद मी' की सीधी-सादी धुन बजाई जाती है। गीत का अंत होने के साथ-साथ वाद्यों का स्वर भी शांत होता जाता है। मार्मिक गीत के अंतिम स्वर की टेक पर बिगुल की धारदार धुन उभरती है और उसकी समाप्ति के साथ ही गणतंत्र दिवस समारोह का समापन हो जाता है।

अमृतसर में स्वर्ण मंदिर के निकट एक सुंदर उद्यान है। इस उद्यान में जलियाँवाला बाग हत्याकांड में मारे गए नागरिकों की स्मृति में एक ऊँचा गोपुर स्थापित किया गया है।

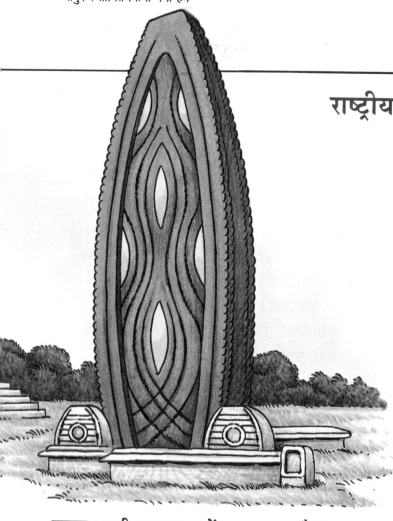

जलियाँवाला बाग हत्याकांड के विरोध में रवींद्रनाथ ठाकुर ने ब्रिटिश सरकार द्वारा दी गई 'सर' की उपाधि वापस लौटा दी।

राष्ट्रीय सप्ताह

प्र राष्ट्रीय सप्ताह क्यों मनाया जाता है?

१३ अप्रैल, १९१९ को अमृतसर के जलियाँवाला बाग हत्याकांड में मारे गए लोगों की स्मृति में प्रतिवर्ष ६ अप्रैल से १३ अप्रैल तक 'राष्ट्रीय सप्ताह' मनाया जाता है।

१३ अप्रैल, १९१९ को बैसाखी का त्योहार था। हजारों स्त्री-पुरुष और बच्चे अपने नेताओं के भाषण सुनने के लिए जलियाँवाला बाग में एकत्र हुए थे। सभा चल ही रही थी कि जनरल डायर सैनिकों के जत्थों के साथ वहाँ आ पहुँचा। भाषण सुन रही जनता की ओर से उत्तेजना का कोई कारण न होने पर भी बिना किसी पूर्व चेतावनी के डायर ने सैनिकों को जनता पर गोली चलाने का आदेश दे दिया। वहाँ से बाहर निकलने के एकमात्र मार्ग को सैनिकों ने रोक रखा था; अतः भाग निकलने का कोई रास्ता नहीं बचा था। गोला-बारूद खत्म होने तक बेरोकटोक गोलियाँ चलती रहीं। एक हजार से अधिक निरपराध लोग मारे गए और उससे भी अधिक संख्या में लोग घायल हुए। घायलों को किसी भी प्रकार की चिकित्सकीय सहायता पहुँचाने की व्यवस्था किए बिना जनरल डायर वहाँ से चला गया।

प्रारंभ में ब्रिटिश अधिकारियों द्वारा इस अमानुषिक हत्याकांड का समाचार दबा दिया गया; किंतु जब इसका पता चला तब सारा देश स्तब्ध तथा भयभीत हो गया।

प्र जलियाँवाला बाग हत्याकांड पर ब्रिटिश सरकार की क्या प्रतिक्रिया हुई?

भारतीय जनाक्रोश ने जलियाँवाला बाग हत्याकांड के लिए जिम्मेदार परिस्थितियों की जाँच करने के लिए ब्रिटिश सरकार को बाध्य कर दिया। यद्यपि जनरल डायर को त्यागपत्र देने का आदेश दिया गया, तथापि इंग्लैंड के 'हाउस ऑफ लॉर्ड्स' द्वारा ब्रिटिश ताज के प्रति साहसिक सेवाओं के उपलक्ष्य में उसे 'नायक' (हीरो) घोषित किया गया। उसके लिए निधि (फंड) एकत्र की गई और उसे रत्नजटित तलवार भेंट की गई, जिस पर *'पंजाब-रक्षक'* शब्द खुदे हुए थे।

जनरल डायर

प्र जलियाँवाला बाग हत्याकांड क्यों हुआ?

मार्च, १९१९ में ब्रिटिश सरकार ने 'रौलट ऐक्ट' नामक कानून पारित किया था। इस कानून से केवल संदेह के आधार पर किसी को भी गिरफ्तार करने तथा बिना किसी जाँच-पड़ताल के उसे कारागार में भेज देने का अधिकार ब्रिटिश सरकार को मिल गया था। इस अधिकार के विरुद्ध अपील नहीं की जा सकती थी। महात्मा गांधी तथा दूसरे नेताओं ने इस कानून को 'काला कानून' कहकर इसका तीव्र विरोध किया। जलियाँवाला बाग में ऐसी ही एक निषेध सभा में यह हत्याकांड हुआ। इस हत्याकांड ने भारत के इतिहास की धारा बदल दी और भारत के स्वतंत्रता-संग्राम का मार्ग प्रशस्त किया।

१५ अगस्त को ही दक्षिण कोरिया और बहरीन भी अपने स्वतंत्रता-दिवस मनाते हैं।

१५ अगस्त, १९४७ को शुक्रवार था। जैसे ही आकाशवाणी पर 'इस दिन 'स्वतंत्रता मिलेगी' की घोषणा हुई, भारत के सभी ज्योतिषी अपने-अपने पंचांग (पत्रा) लेकर भारत की कुंडली विचारने लगे। उन्होंने बताया कि भारत के लिए यह शुक्रवार अशुभ है। अत: भावी संकट और दुर्दशा से बचने के लिए भारत को एक दिन और ब्रिटिश सत्ता सहन करनी चाहिए।

स्वतंत्रता-दिवस

भारत प्रतिवर्ष १५ अगस्त को 'स्वतंत्रता-दिवस' मनाता है। यह हमारे राष्ट्रीय दिनों में सबसे महत्त्वपूर्ण है। सन् १९४७ में इसी दिन लगभग २०० वर्षों के अत्याचारी ब्रिटिश शासन से मुक्त होकर भारत स्वतंत्र देश बना। यह देश के लिए आत्म बलिदान करनेवाले स्वातंत्र्य वीरों के प्रति कृतज्ञता प्रकट करने तथा स्वतंत्रता का हर्षोल्लास मनाने का दिवस है। इस दिन भारत के प्रधानमंत्री दिल्ली के ऐतिहासिक लाल किले पर राष्ट्रध्वज फहराते हैं और राष्ट्र के नाम अपना संदेश देते हैं।

प्र निम्नलिखित शब्द किस प्रसंग में कहे गए ?

''बहुत वर्षों पहले हमने नियति से एक वादा किया था। अब उसे पूरा करने (निभाने) का समय आ गया है...... ।''

ये अमर शब्द १४ अगस्त तथा १५ अगस्त के बीच रात्रि को १२ बजे संविधान सभा में, जिसे आज लोकसभा कहते हैं, पंडित जवाहरलाल नेहरू ने कहे थे।

'सत्ता-हस्तांतरण' का समारोह मनाने के लिए सभा-भवन के बाहर हजारों लोग एकत्रित थे। मध्यरात्रि होते ही घंटे बजने लगे और शंख गूँज उठे। सारे देश में आनंद और हर्षोल्लास छा गया।

१५ अगस्त की सुबह लाल किले के परकोटे पर स्वतंत्र भारत के प्रथम प्रधानमंत्री के रूप में पंडित जवाहरलाल नेहरू ने राष्ट्रध्वज फहराया। नए राष्ट्र के लिए यह एक प्रतीकात्मक प्रतिज्ञा तथा भारतीय स्वतंत्रता के संग्राम में आत्मबलिदान करनेवाले वीरों के प्रति कृतज्ञता की अभिव्यक्ति थी।

प्र स्वतंत्रता समारोह के लिए दिल्ली का लाल किला क्यों चुना गया ?

लाल किला महान मुगल बादशाह शाहजहाँ ने बनवाया था। परंपरानुसार दिल्ली की राजगद्दी पर बैठनेवाला अंतिम मुगल बादशाह बहादुरशाह जफर था, जिसे १८५७ में अँग्रेजों के विरुद्ध हुए प्रथम स्वतंत्रता-संग्राम में हिंदुस्तान का सम्राट घोषित किया गया था। आजाद हिंद सेना के सेनापति नेताजी सुभाषचंद्र बोस ने भी स्वतंत्र भारत के राष्ट्रध्वज को सर्वप्रथम लाल किले पर फहराने की इच्छा व्यक्त की थी।

इस प्रकार १५ अगस्त, १९४७ को लाल किले की प्राचीर पर अतीत और भविष्य का प्रतीकात्मक मिलन हुआ। यह भारत की स्वतंत्रता का प्रभात और नवयुग का आश्वासन भरा प्रारंभ था।

लाल किला, दिल्ली

स्वामी श्रद्धानंद ने गांधीजी को सर्वप्रथम 'महात्मा' कहा था।

गांधी जयंती

प्रतिवर्ष २ अक्टूबर को संपूर्ण भारत में गांधीजी का जन्म दिवस अत्यंत श्रद्धा के साथ मनाया जाता है। देश भर में प्रार्थना-सभाएँ आयोजित करके तथा चरखों पर सूत कातकर इस महान नेता को श्रद्धांजलि अर्पित की जाती है। दिल्ली में राजघाट स्थित गांधीजी की समाधि पर लोग पुष्पांजलि अर्पित करते हैं। वहाँ विभिन्न धार्मिक ग्रंथों के पद गाए जाते हैं तथा गांधीजी का प्रिय भजन– 'रघुपति राघव राजाराम, पतित पावन सीताराम' भी गाया जाता है। गांधीजी राष्ट्रपिता (बापू) थे। वे महात्मा थे। वे अहिंसा और सत्य के पुजारी थे। गरीब जनता के साथ तादात्म्य स्थापित करने के लिए उन्होंने रेल के तीसरे दर्जे में देश के कोने-कोने की यात्रा की थी। उन्होंने बकिंघम पैलेस में अपनी चिर परिचित वेशभूषा में अर्थात् हाथ की बुनी चद्दर ओढ़े तथा धोती पहने हुए इंग्लैंड के सम्राट के साथ चाय-पान किया था। साम्राज्यवाद के युग को उनकी चुनौती का प्रतीक आदिम ढंग का लकड़ी का चरखा था, जिस पर वे पूरी निष्ठा के साथ प्रतिदिन सूत काता करते थे। आधुनिक समाज में विद्यमान हिंसा, द्वेष तथा क्षुद्रता के बीच वे एक ऐसे व्यक्ति थे, जो मानव की मर्यादा में विश्वास रखता था और जिसने हमें अहिंसा, प्रेम और सहिष्णुता की विरासत दी।

मुझे असत्य से सत्य की ओर, अंधकार से प्रकाश की ओर, मृत्यु से अमरत्व की ओर ले चलो।

– गांधीजी के अग्नि-संस्कार के समय उच्चारित की गई वैदिक ऋचा।

मैं भारत को स्वतंत्र और सामर्थ्यवान देखना चाहता हूँ, ताकि संसार के कल्याण के लिए वह अपने आप का पवित्र बलिदान कर सके। मैं इस धरती पर ईश्वरीय साम्राज्य (खुदाई राज) चाहता हूँ।

–महात्मा गांधी

ये शब्द राजघाट पर गांधीजी की समाधि की बगल में एक फलक पर हिंदी तथा अँग्रेजी भाषा में उत्कीर्ण हैं।

महात्मा गांधी की समाधि

गांधीजी के ८० वें जन्म दिवस (२ अक्टूबर, १९४८) के अवसर पर उनके सम्मान में भारत सरकार डाक टिकटों का एक संग्रह प्रकाशित करना चाहती थी। किंतु उनकी हत्या के पश्चात् १५ अगस्त, १९४८ को स्वतंत्रता की पहली वर्षगाँठ पर ये 'शोकपरक डाक टिकट' जारी किए गए। इनमें अँग्रेजी, हिन्दी तथा उर्दू में एक अनोखा त्रिभाषी डाक टिकट था।

गांधीजी अहिंसा के दूत (संदेशवाहक) और नवीन धर्म के संस्थापक थे। उनके मतानुसार अहिंसा के समक्ष सारी बातें फीकी तथा महत्त्वहीन (निरर्थक) हैं।

–बिपिनचंद्र पाल

१९४८ में गांधीजी की हत्या के तुरंत बाद देश-विदेश के कई महत्त्वपूर्ण व्यक्तियों द्वारा गांधीजी को अर्पित की गई कतिपय श्रद्धांजलियाँ :

''हमारी जीवन-ज्योति बुझ गई है और चारों ओर अंधकार छा गया है। हमारे प्रिय नेता बापू, जिन्हें हम राष्ट्रपिता कहते थे, हमारे बीच नहीं रहे... ऐसा कहने में भी, मैं गलती कर रहा हूँ, क्योंकि इस देश में चमकनेवाला वह प्रकाश कोई सामान्य प्रकाश नहीं था। हजारों वर्ष के बाद भी वह दिव्य ज्योति दिखाई देती रहेगी।''

–गांधीजी के निधन पर पंडित जवाहरलाल नेहरू द्वारा राष्ट्र को संबोधन।

''भावी पीढ़ियों को विश्वास नहीं होगा कि गांधीजी जैसा एक हाड़-मांस का शरीरधारी मानव इस धरती पर कभी विचरण करता था।''

–अल्बर्ट आइनस्टाइन

''गांधीजी महान शांतिदूत थे।''

–दलाई लामा

''गांधीजी ने अपने आपको सामान्य व्यक्ति से भिन्न कभी नहीं माना। वे स्वीकार करते थे कि प्राय: अपनी गलतियों से ही उन्होंने सीखा है। वे विश्वबंधु थे। वे दीन, हीन, पीड़ित के प्रिय मित्र थे। आइए, हम सभी उनकी आत्मा को श्रद्धांजलि अर्पित करें, किंतु केवल शब्दों से ही नहीं, बल्कि जिस तरह उन्होंने सत्य की खोज के लिए, भाईचारा स्थापित करने के लिए, राष्ट्रों का दुख-दर्द दूर करने के लिए अपना जीवन समर्पित कर दिया, उसी प्रकार हम भी आचरण करें।''

–लॉर्ड पेथिक लॉरेन्स

''हम सभी गांधीजी नहीं बन सकते, किंतु हम न्यूनाधिक मात्रा में उनके उपदेशों के सत्त्व तथा उस गंभीर सत्य को तो आत्मसात कर ही सकते हैं, जिसके लिए वे जिए और मरे।''

–जी. एल्. मेहता

डॉ. मार्टिन लूथर किंग (१९२९-१९६८) नीग्रो अमेरिकन पादरी डॉ. मार्टिन लूथर किंग गांधीजी के सत्याग्रह (अहिंसात्मक संघर्ष) के दर्शन से अत्यधिक प्रभावित हुए थे। अमेरिका में नीग्रो लोगों के समानता के लिए किए जानेवाले संघर्ष में उन्होंने गांधीजी की सविनय अवज्ञा की नीति अपनायी थी। गांधीजी की ही भाँति उनकी भी १९६८ में टेनेसी के मेंफिस शहर में हत्या कर दी गई।

डॉ. मार्टिन लूथर किंग

रवींद्रनाथ ठाकुर को १९१३ में साहित्य का नोबेल पुरस्कार दिया गया।

सी. वी. रमन को १९३० में भौतिकी का नोबेल पुरस्कार प्रदान किया गया।

भारतीय मूल के अमेरिकी नागरिक **हरगोविंद खुराना** को सन् १९६८ में चिकित्सा विज्ञान का नोबेल पुरस्कार दिया गया।

राष्ट्रीय पुरस्कार

सामाजिक कार्य, कला, विज्ञान तथा साहित्य के क्षेत्र में उल्लेखनीय कार्य अथवा असाधारण योगदान करनेवाले व्यक्तियों के सम्मान के लिए भारत सरकार ने विविध पुरस्कारों की व्यवस्था की है। ये पुरस्कार युद्धभूमि में, उससे बाहर अथवा अन्य क्षेत्रों में प्रदर्शित शौर्य के लिए भी प्रदान किए जाते हैं। इन पुरस्कारों की चार श्रेणियाँ हैं—नागरिक पुरस्कार, शौर्य पुरस्कार, विशिष्ट सेवा पुरस्कार और क्रीड़ा पुरस्कार।

'भारत रत्न' पुरस्कार

प्र 'परमवीर चक्र' पुरस्कार 'अशोक चक्र' पुरस्कार से किस प्रकार भिन्न है?

ये दोनों पुरस्कार अतुलनीय पराक्रम एवं वीरता के लिए दिए जानेवाले शौर्य पुरस्कार हैं। स्थल, जल अथवा आकाश में दुश्मन से लड़ते समय अद्भुत पराक्रम या साहसभरा कार्य करने अथवा देश के लिए आत्मबलिदान करनेवाले वीरों को सर्वोच्च अलंकरण के रूप में 'परमवीर चक्र' प्रदान किया जाता है।

'महावीर चक्र' तथा 'वीर चक्र' इस श्रेणी के दूसरे तथा तीसरे क्रमांक के पुरस्कार हैं। ये तीनों पुरस्कार सेना के तीनों दलों के सैनिकों को दिए जाते हैं।

'अशोक चक्र' पुरस्कार शत्रुओं का सामना करने के अतिरिक्त अन्य उल्लेखनीय साहसपूर्ण सेवाओं के लिए दिया

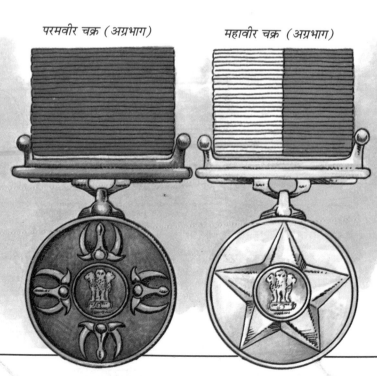

परमवीर चक्र (अग्रभाग)   महावीर चक्र (अग्रभाग)

प्र सर्वोच्च नागरिक पुरस्कार कौन-सा है?

'भारतरत्न' सर्वोच्च नागरिक पुरस्कार है। यह पुरस्कार असाधारण समाज सेवा अथवा कला, विज्ञान या साहित्य के क्षेत्र में उल्लेखनीय कार्य करने के सम्मान में दिया जाता है। 'पद्मविभूषण', 'पद्मभूषण' तथा 'पद्मश्री' महत्त्वक्रमानुसार अन्य नागरिक पुरस्कार हैं।

मदर टेरेसा को १९७९ में शांति का नोबेल पुरस्कार प्रदान किया गया।
भारतीय मूल के अमेरिकी नागरिक **सुब्रह्मण्यन चंद्रशेखर** को १९८३ में भौतिकी का नोबेल पुरस्कार दिया गया। (वे सी. वी. रमन के भतीजे हैं)

१९५९ से भारत में निवास कर रहे तिब्बतियों के आध्यात्मिक गुरु **दलाई लामा** को १९८९ में शांति का नोबेल पुरस्कार दिया गया।

जाता है। जैसे–कानून एवं व्यवस्था बनाए रखना अथवा नागरिक सेवाओं में विशिष्ट पराक्रम दर्शाना। इस श्रेणी के दूसरे पुरस्कार 'कीर्तिचक्र' तथा 'शौर्यचक्र' हैं। नागरिक तथा सैनिक दोनों इन अलंकरणों के पात्र हो सकते हैं।

ये सभी शौर्य पुरस्कार मरणोपरांत भी प्रदान किए जाते हैं।

अर्जुन पुरस्कार

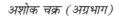

अशोक चक्र (अग्रभाग)

प्र **अर्जुन पुरस्कार क्या है ?**

'अर्जुन पुरस्कार' का नामकरण महाकाव्य 'महाभारत' के सर्वोत्कृष्ट धनुर्धर अर्जुन के नाम पर किया गया है। यह पुरस्कार प्रति वर्ष क्रीड़ा क्षेत्र में उल्लेखनीय कार्य करनेवाले खिलाड़ियों को प्रदान किया जाता है। भिन्न-भिन्न खेलों में प्रवीणता एवं उल्लेखनीय उपलब्धियाँ प्राप्त करनेवाले खिलाड़ियों को सम्मानित तथा प्रोत्साहित करने के उद्देश्य से १९६१ ई. में यह पुरस्कार प्रारंभ किया गया। इसमें ५०,००० रुपये नकद, महाभारत के नायक अर्जुन की कांस्य प्रतिमा, प्रमाणपत्र तथा व्यक्तिगत क्रीड़ा उपकरणों का समावेश रहता है।

प्र **द्रोणाचार्य पुरस्कार किसे प्रदान किया जाता है ?**

यह पुरस्कार खिलाड़ियों के उच्चस्तरीय प्रशिक्षण में समर्पित सेवाओं के सम्मानार्थ उत्कृष्ट क्रीड़ा-प्रशिक्षकों को दिया जाता है। कौरव तथा पांडव राजकुमारों को धनुर्विद्या तथा अन्य विद्याएँ सिखानेवाले गुरु द्रोणाचार्य के नाम पर यह पुरस्कार १९८५ में प्रारंभ किया गया। इस पुरस्कार में स्मृतिचिह्न, प्रशस्तिपत्र, ब्लेज़र, नेकटाई तथा ७५,००० रुपये नकद प्रदान किए जाते हैं।

प्र **राष्ट्रीय पुरस्कार कब घोषित किए जाते हैं ?**

राष्ट्रीय पुरस्कारों की घोषणा प्रति वर्ष गणतंत्र दिवस के अवसर पर २६ जनवरी को की जाती है। केवल १५ अगस्त, १९५४ को पहली बार स्वतंत्रता दिवस पर इन पुरस्कारों की घोषणा की गई थी।

१५ जुलाई, १९५५ को राष्ट्रपति ने विशिष्ट सम्मान के तौर पर भारत के प्रथम प्रधानमंत्री पंडित जवाहरलाल नेहरू को, उनके द्वारा राष्ट्र की अमूल्य सेवाओं के उपलक्ष्य में 'भारतरत्न' पुरस्कार से अलंकृत किया था।

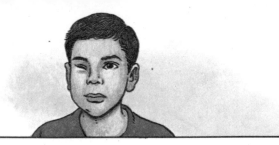

'भारत पुरस्कार' बच्चों को दिया जानेवाला एक अन्य राष्ट्रीय शौर्य पुरस्कार है। यह पुरस्कार उत्तर प्रदेश के मुंडवा गाँव के प्रहलाद सिंह को दिया गया। इस वीर बालक ने एक बड़े काले भालू के आक्रमण से अपने पाँच सहपाठियों की जान बचाई थी। इस संघर्ष में प्रहलाद को अपनी एक आँख और जबड़े का कुछ भाग गँवाना पड़ा था। यह शौर्य पुरस्कार उसे वर्ष १९९५ में प्रदान किया गया।

प्र गीता एवं संजय चोपड़ा पुरस्कार किन्हें प्रदान किए जाते हैं ?

ये पुरस्कार उल्लेखनीय शौर्य दिखानेवाले बालक-बालिकाओं को प्रदान किए जाते हैं। प्रत्येक पुरस्कार विजेता को रौप्य पदक, प्रमाणपत्र तथा नकद रुपये दिए जाते हैं।

१९७८ ई. में गीता चोपड़ा तथा उसके भाई संजय चोपड़ा के नाम पर ये पुरस्कार प्रारंभ किए गए थे। दो अपराधियों से अपने आप को छुड़ाने के लिए संघर्ष करते हुए दोनों बच्चों ने वीरगति पाई थी। इन वीर बालकों के शौर्यपूर्ण उदाहरण का अनुसरण करते हुए साहस तथा बहादुरी दिखाने के लिए बच्चों को प्रोत्साहित करने हेतु ये पुरस्कार दिए जाते हैं। प्रति वर्ष १४ नवंबर को 'बाल दिवस' के अवसर पर इन पुरस्कारों की घोषणा की जाती है। गणतंत्र दिवस की परेड में सम्मिलित कर तथा सुसज्जित हाथियों के हौदों में बैठाकर पुरस्कृत बालकों को यथोचित सम्मान दिया जाता है।